Le Terme di Caracalla / The Baths of Caracalla

Ministero per i Beni e le Attività Culturali
Soprintendenza Speciale per i Beni Archeologici di Roma

Le Terme di Caracalla / The Baths of Caracalla

Electa

In copertina
Caldarium visto dal giardino
Mosaico con delfini affrontati
dal piano superiore delle palestre
Foto Fabio Caricchia e Enzo Giovinazzo

A cura di
Marina Piranomonte

Testi di
**Marina Piranomonte, Gunhild Jenewein,
Maurizio Pinotti, Marco Nardelli**

Una realizzazione editoriale di
Mondadori Electa S.p.A., Milano

www.electaweb.com

sommario
contents

Introduzione

Le Terme di Caracalla sono l'esempio meglio conservato delle grandi terme imperiali romane, complessi monumentali dalla caratteristica pianta assiale, e dalle dimensioni eccezionali, per poter contenere migliaia di persone contemporaneamente. Tali complessi erano anche caratterizzati dal perfetto orientamento nordest-sudovest, in modo di poter sfruttare al massimo l'irraggiamento solare necessario nelle sale calde, dalla disposizione e distribuzione lungo un asse principale delle sale più importanti, dalla distribuzione degli ambienti non termali, ma che fungevano da spogliatoi, palestre, ecc., in modo simmetrico e doppio. I primi esempi di questo tipo di imponente edificio termale nacquero a Roma con le Terme di Tito, poi inglobate in quelle di Traiano, sul colle Oppio, alle quali le nostre magnifiche Terme si ispirarono fortemente. ▶

Introduction

The Baths of Caracalla are the best preserved of the great Roman imperial baths, monumental complexes with their characteristic axial plan and vast dimensions that could accommodate thousands of people at the same time. These complexes were also characterised by their perfect north-east to south-west orientation, to take full advantage of the solar rays needed in the warm rooms, by the location and disposition of the most important rooms along a principal axis, and by the symmetrical and double distribution of non-thermal rooms, such as changing rooms and palaestras and so on. The first example of this type of imposing bath building at Rome was the Baths of Titus on the Oppian Hill, later incorporated into the Baths of Trajan which heavily influenced these magnificent Baths of Caracalla. ▶

10

La loro estensione era di circa 130.000 mq e anche gli alti recinti, dai quali era circondata, ospitavano infrastrutture funzionali come negozi, biblioteche, sale di riunione, porticati per proteggersi dal caldo e dalla pioggia. I ruderi delle Terme di Caracalla, che si ammirano ancora per la notevole altezza di oltre 37 metri in numerosi punti, ci danno oggi solo un'idea della grandiosità del complesso termale; ma le dimensioni dell'edificio e la monumentalità degli ambienti, conservati per due piani in alzato e per tre livelli in sotterraneo, ci permettono di immaginarne ancora oggi la fastosità.

La costruzione delle Terme deve aver costituito un avvenimento eccezionale per i Romani, furono chiamate " le ville della plebe" perché accessibili a tutti, ma il loro carattere popolare e democratico non impedì all'imperatore di renderle bellissime, con marmi rari e opere di scultura mirabili. Secoli di abbandono e di ruberie di marmi e laterizi le hanno lasciate nudi scheletri di nucleo cementizio, altissime e inconfondibili nel panorama dell'ingresso a Roma dalla via Appia, testimonianza millenaria della grande architettura romana, quella che ancora oggi fa rimanere incantati per le dimensioni e la maestria costruttiva.

Monumento molto noto, ma poco studiato, ha sofferto anche di un lungo abbandono e di poca attenzione perché occupato per quasi settant'anni, dal 1937 al 2000, dal Teatro dell'Opera, che di fatto lo aveva invaso quasi del tutto con le sue strutture, in un uso inappropriato, facendone la sede della sua stagione lirica estiva. Dopo la liberazione dalle strutture vecchie e arrugginite del teatro, nel 1999-2000, le Terme si sono riprese il loro ruolo di monumento archeologico della città: ideale per la sosta dei visitatori dopo il caos delle visite ai vicini, ma molto più affollati, Foro Romano e Colosseo, momento di sosta e di pausa nel verde dei suoi giardini prima di avviarsi verso la via Appia e i suoi monumenti.

Marina Piranomonte

Their huge ground plan, covering c. 130,000 m², and the high walls which surrounded them encompassed infrastructure such as shops, libraries, meeting rooms, porticoes for shelter from heat and the rain. The remains of the Baths of Caracalla still stand to the remarkable height of over 37m in places, and can only give us an idea of the grandeur of this bath complex in antiquity. However, the sheer size of the building and the monumentality of its rooms, preserved on two storeys above ground level and three levels below it, still allow us to imagine its magnificence.

Construction of such Baths would have been an exceptional event for the Romans, and they were called "villas of the plebs" because they were accessible to everyone. But their popular and democratic character did not prevent the emperor from making them beautiful, with the use of rare marbles and marvellous sculptures. Centuries of neglect and looting have left only the bare skeletons of their concrete cores, as the tallest and most unique feature of the panorama seen by someone entering Rome from the Via Appia, an age-old testimony to great Roman architecture which even today leaves us spell-bound by its size and its masterful construction.

This is a very famous monument, but a poorly studied one. It has also suffered from long neglect and was given little attention because it was occupied for almost 70 years, from 1937 to 2000, by the Opera Theatre. This took over the structures of the bath complex almost entirely, using it inappropriately by making it the venue for the summer opera season. After they were freed from the old and rusting theatre structures in 1999 – 2000, the Baths have become once more one of the city's archaeological monuments. They are an ideal place for visitors to rest after the chaos of their visits to the much more crowded Roman Forum and Colosseum nearby, and offer a moment to stop and pause in their gardens before heading out to the Via Appia and its monuments.

Marina Piranomonte

Prima delle Terme

La costruzione delle Terme di Caracalla ha completamente stravolto l'urbanistica di una parte della città, la zona tra Celio e Aventino; la fabbrica delle Terme ha avuto effetti sull'orografia della zona con il taglio di parte del colle Aventino, il cui materiale fu usato per la costruzione delle tre ampie terrazze digradanti che colmavano il dislivello di circa 14 metri tra il Colle e la Valle delle Camene. Inoltre la nuova poderosa edificazione portò con sé una nuova strada, la *via Nova Antoniniana*, "che costeggiava le sue Terme, tale che difficilmente, tra le strade romane, si potrebbe trovare qualcosa di più bello", e la distruzione di quanto esisteva prima nella zona. Infatti sotto il piano di calpestìo delle Terme di Caracalla (-6 metri dal piano attuale) esisteva una *domus* adrianea, rasa al suolo per l'imponente edificazione del complesso termale. ▶

Before the Baths

The construction of the Baths of Caracalla completely transformed the urban plan of this part of the city, the area between the Caelian and Aventine Hills. The building of the Baths had an impact on the orography of the area since the part of the Aventine Hill was cut away and used in the construction of the three wide sloping terraces that filled the gap of almost 14 metres between the Hill and the Valle della Camene. Moreover, the massive new building came with a new road, the *via Nova Antoniniana*, "which skirted his Baths, so that it would be difficult to find another Roman road more beautiful," and destroyed what had existed in this area before. Indeed, beneath the pavement of the Baths of Caracalla (6 metres below the current ground level) there was a Hadrianic *domus*, razed to the ground for the massive construction of the bath complex. ▶

La *domus* al momento della scoperta (1860).
Domus della ex Vigna Guidi, lunetta B. Decorazione del secondo strato con figura di Iside e particolare del primo strato pittorico.

The *domus* when it was discovered (1860).
The *domus* in the former Guidi vineyard, lunette B. Second layer decoration depicting a figure of Isis and detail from the first layer of paint.

14

La casa, situata nell'angolo sud-orientale delle Terme, fu posta in luce nell'Ottocento e poi scavata in maniera scientifica negli anni settanta del secolo scorso. Nel 1975 furono staccati i begli affreschi che decoravano la volta e le lunette di uno degli ambienti principali di questa ricca casa patrizia. L'edificio è perfettamente databile tra il 123-134 d.C (per la presenza di bolli laterizi) e l'inaugurazione delle Terme nel 216, certo di poco seguente alla distruzione della *domus* per far spazio all'imponente complesso termale. L'ambito cronologico così sicuro ci permette perciò di conoscere uno dei pochi resti della pittura parietale del II secolo d.C., cioè del periodo adrianeo-antonino. Le lunette superstiti ebbero una doppia stratificazione pittorica, furono cioè ridecorate nell'arco di pochi anni, passando da una decorazione con ampie prospettive, nelle quali sono inserite piccole figure viventi, a una decorazione di carattere religioso, legata alla seconda vita di alcuni ambienti come il larario, e riconoscibile dalla presenza di divinità come Anubis (il dio egizio dalla testa di cane) e Iside, nell'ambito della fioritura di culti orientali e misterici nel II secolo d.C. L'interessante decorazione, al momento conservata in un ambiente delle Terme non accessibile, sarà restaurata e resa visibile al pubblico prossimamente.

Marina Piranomonte

This house was located in the south-east corner of the Baths and was uncovered in the 19th century and later systematically excavated in the 1970s. In 1975 the beautiful frescoes that decorated the vault and the lunettes of one of the main rooms of this rich patrician house were removed. The building can be securely dated (by the presence of brick stamps) to the period between the years AD 123 – 134 and the opening of the Baths in AD 216, which surely occurred shortly after the *domus* was destroyed to make way for the imposing bath complex. This clearly-defined chronological context allows us to identify one of our few examples of wall-painting from the 2nd century AD, and specifically the Hadrianic-Antonine period. The surviving lunettes had a double layer of paint and so must have been redecorated within the space of a few years, showing a change from a picture with wide vistas within which small, vivid figures were set, to a painting that was more religious in character. This change related to the reuse of several rooms as a *lararium*, which can be identified from the presence of deities such as Anubis (the Egyptian god with a dog's head) and Isis, and can be set in the context of the flowering of eastern and mystery cults in the 2nd century AD. This interesting decorative scheme is currently kept in an inaccessible room in the Baths, but will be restored and made visible to the public in the near future.

Marina Piranomonte

La storia

Le Terme furono inaugurate nel 216 d.C., sotto il regno di Marco Aurelio Antonino Bassiano detto Caracalla (figlio dell'imperatore Settimio Severo), nella XII *regio Piscina Publica*, zona alquanto paludosa nella parte meridionale della città, abbellita dai Severi con la *via Nova Antoniniana*, tracciata da Caracalla in direzione delle nuove terme, e il *Septizodium*, un grandioso Ninfeo a più piani, simile alla scena di un teatro ellenistico, voluto da Settimio Severo sulle pendici sud-occidentali del Palatino come quinta monumentale all'inizio della via Appia. Molto si è discusso sulla vera datazione del monumento, o per meglio dire del suo impianto: infatti è evidente che un'opera così importante deve aver avuto una lunga progettazione, ed è opinione comune tra gli studiosi che sia stato Settimio Severo, padre di Caracalla, a concepire l'idea delle Terme più grandi e più sfarzose della città. ▶

History

The Baths were opened in AD 216, during the reign of Marcus Aurelius Antoninus Bassianus, known as Caracalla (son of the emperor Septimius Severus), in *regio Piscina Publica* XII, a rather marshy area in the southern part of the city. This area was embellished by the Severans with the *Via Nova Antoniniana*, laid out by Caracalla in the direction of the new baths, and with the *Septizodium*, a grand Nyphaeum constructed over several storeys, like the stage of a Hellenistic theatre, built by Septimius Severus on the south-west slopes of the Palatine as a monumental backdrop at the start of the Via Appia. The exact date of the monumental bath complex, or rather when it was planned, is widely discussed. In fact it is clearly such an important work that it must have been long in the planning, and it is generally agreed by scholars that it was Septimius Severus, Caracalla's father, who conceived the idea of constructing the largest and most luxurious baths in the city. ▶

18

Una data certa è fornita dalla derivazione dell'*aqua Marcia* del 212 e dalla presenza di molti bolli laterizi coevi, ma senz'altro l'opera deve avere avuto una lunga gestazione precedente. Elio Sparziano nella sua *Vita di Caracalla* ci informa che l'imperatore costruì *thermas eximias… e… magnificentissimas*, ma sappiamo da altri autori che esse furono completate, nei porticati e in alcune decorazioni, dai suoi successori, Eliogabalo e Severo Alessandro, e quindi si potevano dire ultimate nel 235 d.C. Restauri furono eseguiti da Aureliano, dopo un incendio, e da Diocleziano, che intervenne con lavori sull'acquedotto (*aqua Antoniniana*), che da lui prese il nome di *forma Iobia*.

Costantino modificò il *caldarium* con l'inserimento di un'abside semicircolare, lasciando testimonianza del suo intervento in un'iscrizione conservata nei sotterranei dell'edificio. Nel V secolo d.C. le Terme erano ancora perfettamente funzionanti, come è documentato dalle parole di un autore dell'epoca, Polemio Silvio, che le cita come una delle sette meraviglie di Roma, famose per la ricchezza della loro decorazione e delle opere che le abbellivano, e di Olimpiodoro, che parla della loro grandiosità. Basti pensare che il numero complessivo dei bagnanti può essere ricostruito in seimila-ottomila frequentatori al giorno e che al giorno d'oggi, nei momenti di grande affluenza turistica con diverse migliaia di turisti, o nelle serate d'opera con oltre tremila spettatori tutti concentrati nel solo giardino, il monumento contiene questi grandi numeri con estrema facilità, perché concepito e costruito appunto per le folle.

Le Terme vissero solo tre secoli, in quanto furono definitivamente abbandonate dopo il 537 d.C., a seguito dell'assedio di Roma a opera di Vitige, re dei Goti, il quale tagliò gli acquedotti per prendere la città per sete. Da quel momento il complesso termale perse d'importanza, anche a causa della pericolosità della sua posizione, troppo periferico rispetto al centro dove si andavano concentrando gli abitanti per la paura delle invasioni barbariche.

One secure date is provided by the deviation of the *aqua Marcia* in 212 and by the presence of many contemporary brick stamps, but it is clear that the structure must have had a long gestation period before this. Helius Spartianus in his *Life of Caracalla* tells us that the emperor constructed *thermas eximias… and… magnificentissimas*, but we know from other authors that they were completed (the porticoes and some of the decoration) by his successors, Elagabalus and Severus Alexander, and so that they were finally finished in AD 235. Restorations took place under Aurelian, after a fire, and Diocletian, who intervened in the structure during work on the aqueduct (*aqua Antoniniana*), which took from him the name *forma Iobia*.

Constantine modified the *caldarium* by inserting a semicircular apse; this is recorded in an inscription preserved in the basements of the building. In the 5th century AD the Baths were still functioning perfectly, as documented by the words of a writer of the time, Polemius Silvius, who called it one of the seven marvels of Rome, famed for the richness of its decoration and the works of art that adorned it, and by Olympiodorus, who describes its grandeur. Suffice to say, the total number of daily bathers can be reconstructed as 7,000 – 8,000, and that nowadays, at times when thousands of tourists flood into the complex, and at opera evenings when more than 3,000 spectators gathered in the garden alone, the monument can hold such great numbers with ease, because it was deliberately designed and constructed for crowds.

The Baths were used for only three centuries, and were definitively abandoned after AD 537, following the siege of Rome by Vitiges, king of the Goths, who cut off the aqueducts to capture the city by thirst. From that moment onwards the bath complex lost its importance, also because of its dangerous position, too peripheral from the centre where the inhabitants tended to concentrate in fear of barbarian invasion.

Nel VI-VII secolo il monumento fu probabilmente il cimitero dei pellegrini ammalatisi durante il viaggio a Roma e ricoverati nel vicino *Xenodochium* (ora chiesa) dei Santi Nereo e Achilleo: negli anni ottanta alcuni scavi all'interno del recinto perimetrale hanno infatti rinvenuto sepolture molto povere, il che ha fatto supporre che nelle nostre Terme fossero seppelliti i pellegrini in viaggio verso Roma. Ci sono testimonianze, nel *Liber Pontificalis*, di restauri al suo acquedotto almeno fino al IX secolo, da parte dei papi Adriano I, Sergio II e Nicolò I, che, insieme alle tracce evidenti di calcare negli alloggiamenti dei tubi, quando questi erano già stati asportati, e di concrezioni massicce nelle gallerie, dimostrano che comunque l'acqua continuò a fluire qui, liberamente, per secoli. Recenti studi del professor E. Hostetter dell'Università dell'Illinois Urbana-Campaign, fatti prelevando campioni di calcare dai sotterranei hanno permesso di datare l'ultima fase dello scorrimento dell'acqua nell'area al IX secolo d.C., e cioè esattamente a quando datano gli ultimi restauri papali dell'*aqua Antoniniana*.

Nel XII secolo le Terme cominciarono a divenire cava di materiali per la decorazione di chiese e palazzi dell'Urbe: tre capitelli con le aquile e i fulmini, simboli di Zeus, provenienti dalla palestra orientale, furono posti in opera nel duomo di Pisa, dopo opportuni riadattamenti; sono stati riconosciuti come appartenenti alle palestre delle Terme per confronto con i nostri superstiti. La medesima sorte subirono, nello stesso secolo, gli otto capitelli con Iside, Serapide e Arpocrate provenienti dalle biblioteche e riutilizzati nella chiesa di Santa Maria in Trastevere.

Nel XIV secolo i protocolli notarili citavano il monumento come *Palatium Antonianum*. Esso era sicuramente adibito a vigne e orti, vista anche la grande quantità d'acqua disponibile e che correva dall'acquedotto, anche se rotto in più punti. E ancora nel XV secolo le sue imponenti rovine suscitavano l'entusiasmo dei rari visitatori, quali Poggio Fiorentino, che nel 1450 scriveva: "Delle terme del figlio di Severo, Antonino, grandissime vestigia restano, più che delle altre, le quali

In the 6th – 7th centuries the monument was probably the cemetery for pilgrims who fell ill during a visit to Rome and were hospitalised in the nearby *Xenodochium* (now church) of Saints Nereus and Achilleus. In the 1980s excavations within the perimeter wall discovered some very poor burials, which has leads one to believe that pilgrims travelling to Rome were buried in these Baths. We have evidence, in the *Liber Pontificalis*, of restorations of the aqueduct until at least the 9th century, by Popes Hadrian I, Sergius II and Nicholas I. This evidence, together with clear traces of lime in the housing of the pipes after they had already been removed, and massive concretions in the tunnels, shows that water continued to flow freely here for centuries. Samples of lime from the underground parts of the aqueduct were taken during recent work by Professor E. Hostetter of the University of Illinois at Urbana-Campaign. These date the final phase in which water flowed in this area to the 9th century AD. This is also the date of the last papal restorations of the *aqua Antoniniana*. In the 12th century the Baths began to be used as quarries for materials to decorate the City's churches and palaces. Three capitals from the east palaestra, with eagles and lightning bolts, the symbols of Zeus, were placed in Pisa cathedral after appropriate modifications were made. They were recognised as belonging to the Baths' palaestras after comparison with the surviving capitals. The same fate was suffered in the same century by the eight capitals depicting Isis, Serapis and Harpocrates which came from the libraries and were reused in the Church of Santa Maria in Trastevere.

In the 14th century, notary protocols described the monument as the *Palatium Antonianum*. It was clearly used for vineyards and orchards, given the large amount of available water that flowed from the aqueduct, even though it was broken in many places. And even in the 15th century its imposing ruins excited enthusiasm from rare visitors, such as Poggio Fiorentino, who wrote in

Iscrizione relativa
a un restauro
del *caldarium*
fatto eseguire
da Costantino,
IV secolo d.C.

Inscription relating
to a restoration
of the *caldarium*
by Constantine,
4th century AD.

Veduta
assonometrica
delle terme.

Axonometric
view of the Baths.

22

attirano alta ammirazione dei riguardanti che non sanno farsi un'idea a quale uso fosse stata innalzata quella mole cosi portentosa di fabbricati, e l'apparato di tante colonne e così grandi e di marmi diversi".

Nei primi anni del XVI secolo durante il pontificato di Giulio II, ancora restavano in piedi molte colonne, anche se sepolte dalle rovine e dai crolli delle volte, e la parte centrale delle Terme era visitabile. Pochi anni dopo la situazione peggiorò, a seguito degli scavi di papa Paolo III Farnese per la costruzione del suo nuovo palazzo, momento cruciale per la storia delle Terme. Infatti le Terme divennero la cava di marmi e statue del Farnese, che nel 1545-1547 rinvenne all'Antoniana "grandi statue, oggetti preziosi, bronzi, gruppi colossali", suscitando forte interesse nei contemporanei e già un aspro dibattito sullo scavo-rapina eseguito dallo stesso cardinale. Quella spoliazione sistematica del monumento arricchì la collezione Farnese e possiamo a ragione dire che le Terme di Caracalla hanno fornito statue a molti musei d'Europa.

Dopo gli scavi Farnese le Terme vissero un lungo periodo di abbandono; nella seconda metà del XVI secolo sappiamo che papa Paolo V le concesse in proprietà ai Gesuiti del seminario romano per portarvi i ragazzi a giocare nei giorni di festa. Si dice che anche san Filippo Neri conducesse alle Terme i ragazzi del suo oratorio e che sia stato lui a far dipingere l'affresco della Vergine sorretta da un angelo ancora visibile in un ambiente prospiciente la *natatio*.

Tra il XVI e il XVIII secolo l'interesse per la grandiosa architettura dell'edificio ci ha lasciato disegni di celebri autori, quali l'anonimo Destailleur (vero conoscitore delle Terme, che ha rappresentato in molti disegni, ricchi di dettagli anche del *tepidarium*, del *caldarium*, e dei forni), il Falda, Giuliano da Sangallo, il Palladio, il Nolli, che molto spesso hanno permesso di ricostruire l'aspetto originario del monumento.

Nel 1824 scavi sistematici furono iniziati nel corpo centrale dal conte Egidio Di Velo: essi portarono alla luce, tra l'altro, i famosi mosaici pavi-

1450, "Extensive traces of the baths of Antoninus, son of Severus, remain, more than of the others, and they attract great admiration from observers who cannot imagine what function might cause such an awesome mass of structures to be raised, and to be adorned with so many columns, to be so large, and with such diverse marbles."

In the early years of the 16th century, during the papacy of Julius II, many columns were still standing, even though buried in ruins and collapsed vaults, and the central part of the Baths could be visited. A few years later the situation had deteriorated, after the excavations of Pope Paul III Farnese for construction of his new palace. This was a crucial event in the history of the Baths. They became the Farnese family's quarry for marbles and statues. Thus in 1545 – 1547 "large statues, precious objects, bronzes, colossal groups" were found at the Antoniana, arousing great interest among contemporaries and a fierce debate about the plundering conducted by the Cardinal. This systematic looting of the monument enriched the Farnese collection and we can rightly say that the Baths of Caracalla provided statues for many of Europe museums.

After the Farnese excavations, the Baths underwent a long period of abandonment. We know that in the second half of the 16th century Pope Paul V gave it to the Jesuits of the Roman seminary so they could bring children to play there on feast days. It is said that even Saint Philip the Black brought children from his oratory to the Baths and that he was the one who painted the fresco of the Virgin held up by an angel that can still be seen in a room facing the *natatio*.

Drawings by famous artists demonstrate the interest shown in the grandiose architecture of the building from the 16th to the 18th century. These include the anonymous Destailleur (a true connoisseur of the Baths, who depicted the *tepidarium*, *caldarium* and furnaces in many richly detailed drawings), along with

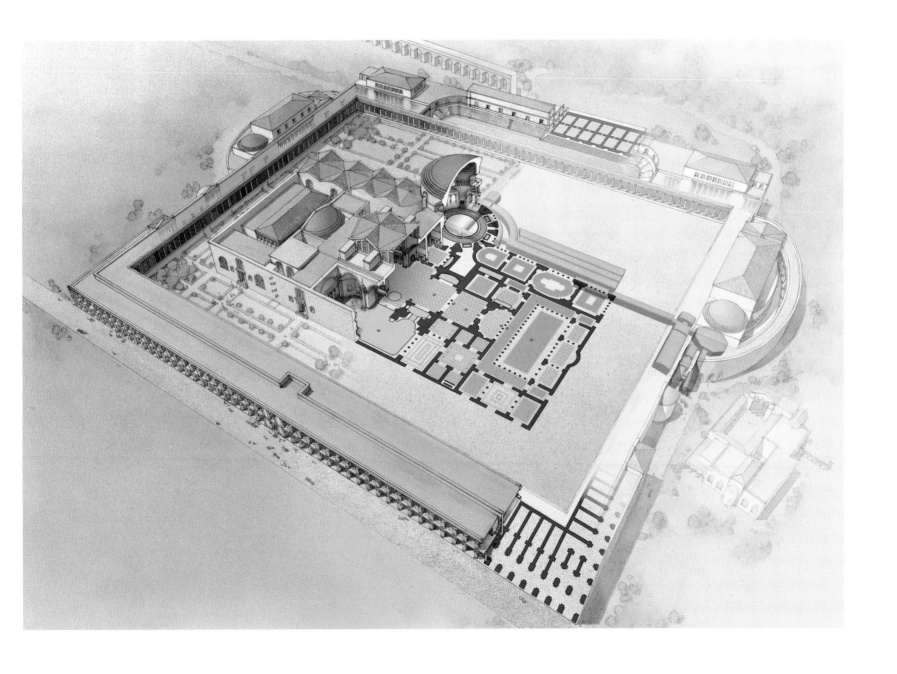

Ricostruzione
del *frigidarium*
e della *natatio*.

Reconstruction
of the *frigidarium*
and *natatio*.

24

mentali con gli atleti, poi staccati e attualmente conservati ai Musei Vaticani. Gli scavi continuarono alla metà del secolo a opera di Canina nel *frigidarium* e poi a opera di Guidi nel 1860-1867, e portarono anche alla scoperta della *domus* di età adrianea di cui si è parlato all'inizio. Negli anni 1866-1869 fu scavato il corpo centrale dell'edificio e furono rinvenuti i celebri capitelli figurati con Ercole, Marte, ecc., colonne di porfido e un torso di Ercole. Altre ricerche furono compiute nel 1870 (anno in cui il monumento divenne proprietà del governo italiano) da Pietro Rosa, che si concentrò sulla palestra orientale, mentre nel 1878-1879 il Fiorelli scoprì il pavimento in *opus sectile* marmoreo del *caldarium* e quello a mosaico della palestra occidentale, che venne completamente scavata.

Nei primi anni del Novecento, in occasione della sistemazione della Passeggiata Archeologica, si procedette all'esplorazione del recinto perimetrale e di parte dei sotterranei. Fu anche disegnato da Rodolfo Lanciani il giardino classico, circondato da siepi di bosso e con agli angoli pini e cipressi, ancora esistente nel monumento; durante questi scavi furono scoperti i vani compresi nella grande esedra occidentale, la biblioteca e, nel sottosuolo, il Mitreo e quello che studi del 1983 hanno identificato come un mulino ad acqua necessario per approvvigionare di farina e quindi di pane le migliaia di bagnanti delle grandi Terme.

L'esplorazione sistematica delle gallerie, in parte già note dal Settecento e dall'Ottocento, iniziò nel 1901, per proseguire a est negli anni 1937-1938, in occasione dei restauri delle stesse per l'impianto del palcoscenico del Teatro dell'Opera nel *caldarium*. I restauri furono eseguiti dal Governatorato con l'assistenza della Soprintendenza ai Monumenti del Lazio, ma di essi esiste purtroppo solo un'esigua documentazione e qualche bel disegno a matita sulla rivista coeva "Capitolium".

Dopo questo periodo, i lavori più importanti nel monumento sono stati senz'altro quelli della metà degli anni ottanta, quando il recinto

drawings by Falda, Giuliano da Sangallo, Palladio, and Nolli, which have frequently allowed us to reconstruct the original appearance of the monument.

In 1824 systematic excavation was started in the central body of the Baths by Count Egidio Di Velo. Among other things, he uncovered the famous floor mosaics of the athletes, which were then removed and today are preserved at the Vatican Museums. Excavation continued to the middle of the century, directed by Canina in the *frigidarium*, and later by Guidi in 1860 – 1867. These led to the discovery of the Hadrianic-period *domus* mentioned above. In the years 1866 – 1869 the central body of the building was excavated and the famous figured capitals with Hercules, Mars and so on were found, along with porphyry columns and a torso of Hercules. Other investigations took place in 1870 (the year in which the monument became the property of the Italian government) under Pietro Rosa, who focused on the east palaestra. Then in 1878 – 1879 Fiorelli discovered the marble *opus sectile* pavement of the *caldarium* and the mosaic floor of the west palaestra, which was completely excavated.

In the early 20th century, when the Passeggiata Archeologica was established, the perimeter wall and part of the underground chambers were explored. Also the classical garden was designed by Rodolfo Lanciani, encircled by box hedges with pines and cypresses at its corners, and still lies within the monument. During these excavations the rooms of the large western exedra, the library, and (underground) the Mithraeum were uncovered, as well as what studies in 1983 identified as a water-mill used for producing flour and thus for making bread for the thousands of bathers at the large Baths.

In 1901 systematic exploration began of the galleries, already partially known in 18th and 19th centuries, and this continued towards the east in 1937 – 1938 when they were restored for installation of the stage of the Opera Theatre in the *caldarium*. The

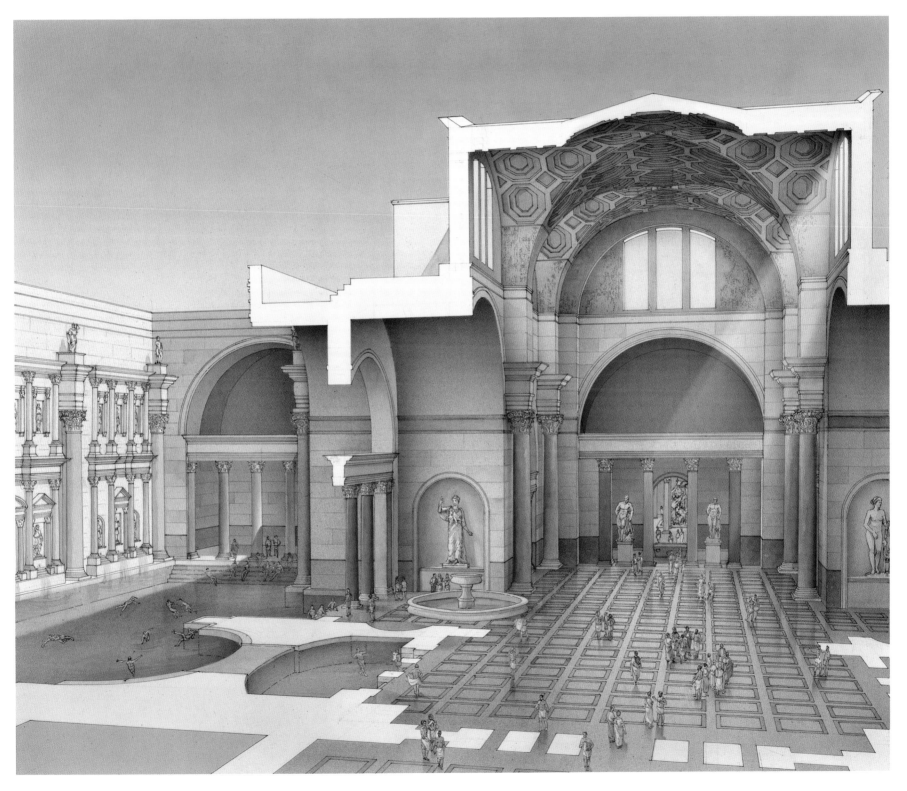

meridionale è stato completamente liberato dalla fitta vegetazione e dalle case abusive che ancora lo occupavano parzialmente e l'edificio, restaurato nel lato sud, nelle cisterne e nella biblioteca sud-ovest, e in quello est, nel cosiddetto Tempio di Giove, è stato finalmente restituito alla sua pianta originaria. Per gli anni novanta un momento significativo della storia delle Terme può senz'altro essere individuato nel 1993, anno dell'ultima stagione lirica estiva del Teatro dell'Opera nel *caldarium*, dopo un'occupazione che risaliva al 1937. Al 1996, infine, data l'ultimo ritrovamento di statuaria nelle Terme di Caracalla; è stata rinvenuta una statua di Artemide acefala, stante, vestita di corto chitone, utilizzata come basolo di strada in un restauro, databile al V secolo, della pavimentazione delle gallerie sotterranee. La statua è esposta dall'aprile 1997 nell'aula ottagona (ex Planetario) delle Terme di Diocleziano, insieme ad altre numerose provenienti dalle nostre Terme.

Nel 1999 le Terme sono state liberate con un lavoro accurato e attento, diretto dall'architetto Enrico Del Fiacco, da tutte le strutture arrugginite del vecchio palcoscenico del Teatro dell'Opera. I lavori sono durati circa un anno; a questi sono seguiti gli interventi del Giubileo con la costruzione dei nuovi servizi al pubblico e di una nuova recinzione.

Nel 2001 le Terme si sono riaperte alla musica classica, ospitando per due anni la stagione estiva dell'Accademia di Santa Cecilia, e alla lirica, accogliendo di nuovo la stagione del Teatro dell'Opera con un palcoscenico all'aperto temporaneo e rimovibile, lontano dalle strutture del *caldarium*, e nel pieno rispetto del monumento che, in molti casi, è stato preferito dai registi come unica, monumentale scenografia.

Con la demolizione del vecchio e fatiscente teatro di ferro mussoliniano è cominciata la nuova vita delle Terme di Caracalla, monumento, incredibile a dirsi, molto familiare ai romani per la sua mole che si staglia nel cielo della trafficata arteria della via Cristoforo Colombo, all'incrocio con la via Appia, ma ancora poco conosciuto, e che solo nel-

restorations were undertaken by the Governorship with the assistance of the Soprintendenza ai Monumenti del Lazio, but unfortunately they were very poorly documented except for a fine pencil drawing in "Capitolium", a magazine of the day. After this period, the most important work in the monument was without doubt that of the mid-1980s, when the south wall was completely cleared of its dense vegetation and the illegally constructed houses which still partly occupied it. Restoration on the south side of the cisterns and the south-west library, and of the so-called Temple of Jupiter on the east side, finally re-established the original plan of the Baths. In the 1990s, specifically in 1993, came an important moment in the history of the Baths, the year of the last summer season in the *caldarium* of the Opera Theatre, which had occupied the Baths since 1937. In 1996, finally, the most recent discovery of sculpture in the Baths of Caracalla took place, a headless statue of Artemis, standing, dressed in a short *chiton*. This had been used as a paving stone in a 5th century restoration, of the floor of the underground galleries. The statue has been on display in the octagonal hall (the former planetarium) of the Baths of Diocletian since 1997, along with many other statues from the Baths of Caracalla.

In 1999 the Baths were freed from all of the structures relating to the Opera Theatre stage building. This precise and careful work was directed by the architect Enrico Del Fiacco, and took about a year. After this came work for the Jubilee, including construction of new public services and a new enclosure.

In 2001 the Baths were reopened for classical music, hosting the summer season of the Accademia di Santa Cecilia for two years, and opera too, once more hosting the Opera Theatre season with a temporary, removable, open-air stage, very different to the old structures in the *caldarium*, fully respecting the monument which has so often provided a preferred and unique monumental backdrop for directors.

Michelangelo
Pistoletto, *Il Terzo
Paradiso*, ottobre
2012, particolare.

Michelangelo
Pistoletto, *Il Terzo
Paradiso,* October
2012, detail.

28 l'ultimo decennio si sta riscoprendo, con l'apertura di sempre più ampi spazi al pubblico, e con un'offerta culturale che si spera sia sempre più moderna, per i visitatori e per i turisti. Il complesso monumentale non dimentica la sua tradizione musicale e continua ad ospitare al suo interno la stagione di lirica e balletto del Teatro dell'Opera, raddoppiando la sua visibilità nelle numerose serate estive di spettacolo. La stagione estiva 2012 ha anche accolto l'esperimento di aprire nuovi spazi alla musica, in particolare una delle due palestre, in forma cameristica e con pochi spettatori, svelando agli amanti di quest'arte altri angoli dell'imponente complesso. Inoltre nello stesso anno è stata inaugurata, a cura della Soprintendenza Speciale per i Beni Archeologici di Roma, un'installazione contemporanea dal titolo *Il terzo paradiso* del maestro Michelangelo Pistoletto. Con 109 frammenti di decorazione architettonica, colonne, fregi, trabeazioni, capitelli, mosaici pavimentali, il maestro ha riprodotto la sua opera più recente e amata, rendendo contemporanei antichi resti della decorazione delle Terme, che in questo nuovo allestimento hanno assunto nuovo slancio. Opera ancora più significativa se si pensa che da 1800 anni questi pezzi non si sono mai spostati dalle terme, non hanno riempito i musei d'Europa e le chiese di Roma, come molti altri materiali del complesso, e sono sempre rimasti a pochi metri dal luogo dove si ergevano, nelle magnifiche Terme Antoniniane.

Marina Piranomonte

With the demolition of the old and dilapidated iron theatre of the Mussolini era, a new life began for the Baths of Caracalla. This monument is very familiar to Romans for its massive ruins that loom over the skyline of the busy thoroughfare of Via Cristoforo Colombo, at the crossroads with the Via Appia. But it is still remarkably poorly known, and only in the last decade it has been rediscovered by visitors and tourists with the opening up of more and more of its area to the public, and increasingly modern cultural offerings. The monumental complex has not forgotten its musical tradition and continues to host the opera and ballet season of the Opera Theatre, boosting its visibility with many summer evenings of entertainment. The summer season 2012 experimented with opening new spaces to music, specifically chamber music with a small audience in one of the two palaestras, thus opening up other corners of this imposing complex to music-lovers. Furthermore, in the same year, a contemporary installation entitled *The Third Paradise* by the artist Michelangelo Pistoletto was opened, curated by the Soprintendenza Speciale per i Beni Archeologici di Roma. Using 109 fragments of architectural decoration, columns, friezes, entablatures, capitals, and floor mosaics, the artist has reproduced his most recent and popular work, making contemporary art from the ancient remains of the Baths' decoration. This new arrangement has given the Baths new prominence. This installation is even more important given that for 1800 years these pieces have never been moved from the Baths, and have not filled Europe's museums or Rome's churches like much other material from the Baths. Instead they have always remained just a few metres from the place where they once were set on high, in the magnificent Antonine Baths.

Marina Piranomonte

Caracalla

Spesso giudicato dalla critica e da alcuni storici come uno degli imperatori 'maledetti' che hanno attraversato la storia romana, al pari di Caligola, Nerone, Domiziano, Commodo, la figura di Marco Aurelio Antonino Bassiano, nato a Lugdunum (l'attuale Lione) il 4 aprile del 188 d.C., figlio di Settimio Severo, governatore della provincia gallica, è molto più complessa di quanto si pensi. Il padre, un senatore di origine africana, fu acclamato imperatore dalle legioni del Danubio nel 193 d.C. La madre di Bassiano, Giulia Domna, era figlia del sommo sacerdote di El Gabal a Emesa; gli oroscopi le avevano predetto che avrebbe sposato un re. Il piccolo Bassiano era amabile, intelligente, affabile e sempre pronto ad atti di benevolenza: "*sed haec puer*", ma questo, appunto, da bambino, scrive l'*Historia Augusta*. ▶

Caracalla

While he is often judged by critics and by some historians to have been one of the 'cursed' emperors of Roman history, comparable to Caligula, Nero, Domitian or Commodus, the character of Marcus Aurelius Antoninus Bassianus was much more complex than one might think. He was born at Lugdunum (modern Lyons) on 4th April AD 188, the son of Septimius Severus, then governor of that part of Gaul. Bassianus' father Severus, a senator of African origin, was acclaimed emperor by the Danube legions in AD 193. His mother, Julia Domna, was the daughter of the high priest of El Gabal at Emesa. Horoscopes had predicted that she would marry a king. The young Bassianus was a pleasant, intelligent and friendly child, always ready to perform acts of kindness. However, the *Historia Augusta* wrote of him "*Sed haec puer*", "But that is what he was like as a boy. ▶

Aula ottagona del recinto perimetrale orientale, cosiddetto Tempio di Giove.

Octagonal hall on the eastern perimeter wall, the so-called Temple of Jupiter.

32 Caracalla aveva un fratello che odiava, Geta. Nel 203, a quindici anni, Severo gli diede in sposa Plautilla, figlia del suo favorito Plautianus; cinque anni più tardi lo porto con sé in Britannia, dove Bassiano, che aveva già mutato carattere diventando torvo e severo e ossessionato dalla volontà di somigliare ad Alessandro Magno (camminava sempre con la testa reclinata verso destra, come nei ritratti più noti del condottiero macedone), prese parte con il padre e il fratello Geta alla guerra contro i Caledoni. Nel febbraio del 211 Settimio Severo morì a Eboracum (York); i suoi figli si affrettarono a concludere la pace e a tornare a Roma con la madre Giulia Domna, per assumere insieme le redini dell'impero. I fratelli si detestavano al punto da non volersi incontrare nel palazzo imperiale sul Palatino; nel febbraio del 212 Caracalla, durante l'ennesimo litigio, uccise Geta tra le braccia della madre. Gli autori antichi narrano che, dopo il fratricidio, Caracalla si rifugiò presso l'esercito, per far credere di essere sfuggito a un attentato ordito da Geta; convinti i pretoriani, riuscì a farsi proclamare unico imperatore e cominciò a uccidere amici e partigiani del fratello. Più di mille vittime perirono in questo modo, tra cui il celebre giurista Papiniano. Caracalla si abbandonò quindi a una serie di atti sanguinari alternati ad atti di religiosità morbosa, in uno dei quali decretò l'apoteosi del fratello, mentre prima ne aveva ordinato la *damnatio memoriae*, cioè la distruzione di ogni effigie e di ogni ricordo scritto.

Caracalla affidò di fatto la gestione della politica interna al *consilium principis*, presieduto dalla madre, che divenne la responsabile dell'impero, mentre il figlio si occupava solo dell'amatissimo esercito e delle sue campagne militari. Giulia Domna, che regnò incontrastata come imperatrice e madre, aveva la direzione e il controllo dei problemi amministrativi, dei registri, della corrispondenza imperiale greca e latina. Con i titoli *Pia* e *Felix*, riservati sino a quel momento agli imperatori, governò il mondo mentre Caracalla avviava numerose imprese

Caracalla had a brother, Geta, whom he hated. In 203, when Bassianus was fifteen, Severus married him off to Plautilla, daughter of Severus' favourite Plautianus. Five years later, Severus took him to Britannia where he took part in the war against the Caledonians with his father and his brother Geta. Bassianus' character had changed by then. He had become grim and stern, and obsessed with a desire to be like Alexander the Great. He always walked with his head turned to the right, like the most famous portraits of that Macedonian leader. In February 211, Septimius Severus died at Eboracum (York). His sons hurried to make peace and return to Rome with their mother Julia Domna, set to take up together the reins of the empire. The brothers hated one another so much that they were unwilling to encounter one another in the imperial palace on the Palatine. In February 212, in the course of yet another dispute, Caracalla killed Geta in the arms of their mother. The ancient writers tell how Caracalla took refuge with the army after this act of fratricide, to make it appear that he had escaped an assassination attempt by Geta. Once the praetorians were convinced, he managed to get himself proclaimed sole emperor and began to slaughter the friends and supporters of his brother. More than a thousand victims perished at this time, including the famous jurist Papinian. Caracalla then gave himself over to a series of bloody deeds interspersed with acts of morbid piety, including decreeing the deification of his brother after he had already ordered a *damnatio memoriae*, the destruction of every image and written record of him.

Caracalla entrusted the conduct of domestic politics to the *consilium principis*, the emperor's council, presided over by his mother who became effective head of the empire while her son spent all of his time with his beloved army and his military campaigns. Julia Domna, who reigned undisputed as empress and emperor's mother, directed the empire and took control of all administrative issues, records and imperial correspondence in Greek and Latin. Holding

Il *caldarium*
e il *tepidarium*
visti dal recinto
meridionale.

The *caldarium*
and the *tepidarium*
seen from the
southern wall.

34 militari, sia per difendere i confini dalle invasioni sia per cercare nuove risorse economiche.

Nella primavera-estate del 213 egli partì per le Gallie. A Narbona condannò a morte un gran numero di cittadini e il governatore della provincia. Da questa zona aveva adottato la veste da cui prese il soprannome, il mantello detto caracalla, dotato di un ampio cappuccio, che egli amava indossare e che fece distribuire ai cittadini romani.

In Germania combatté i Catti e agli Alemandi, ma fu sconfitto e dovette comprare la pace con elargizioni d'oro. L'anno dopo andò in Tracia per combattere i Geri, da lì passò in Asia Minore e fondò una colonia a Edessa. Appreso che gli abitanti di Alessandria lo disapprovavano per l'uccisione di Geta, fece mettere la città a ferro e fuoco. Infine, nel 215 si recò ad Antiochia per preparare la guerra ai Parti, saccheggiò il paese, disperse le ossa dei re e ne saccheggiò i sepolcri. Tornò quindi a Edessa a passare l'inverno (216-217) e celebrò nelle monete la vittoria partica. Nel 217, durante il viaggio tra Edessa e Carre, fu ucciso da uno dei soldati per ordine del suo prefetto Macrino, che si fece proclamare imperatore dall'esercito.

Questa, in sintesi, la biografia di Caracalla secondo Dione Cassio e l'*Historia Augusta*, ma la sua vita e le sue opere devono essere considerate anche in base a dati storici certi. Se gli autori antichi, di classe senatoria conservatrice, e di conseguenza ostili alla famiglia 'straniera', sono poco generosi con l'imperatore, descrivendolo come un folle e sanguinario fratricida, la storia gli deve atto di un provvedimento di straordinaria importanza per l'evoluzione dell'impero: raggiungere l'unificazione interna ponendo nella stessa condizione tutti gli abitanti dello Stato. Strumento di questo disegno politico fu la concessione della cittadinanza romana a tutti gli abitanti delle province, la *Constitutio Antoniniana*. A stento ricordata dagli storici antichi quali Dione Cassio, Erodiano, Elio Sparziano, forse troppo vicini storicamente per

the titles *Pia* and *Felix* (Pius and Fortunate), previously reserved for the emperor himself, she ruled the world while Caracalla undertook various military activities, both to defend the empire's frontiers against invasion and in search of new economic resources.

In Spring-Summer 213, he set out for the Gallic provinces. At Narbonne he sentenced to death many citizens and the provincial governor. From this part of the world he adopted the form of clothing that gave him his nickname, a type of cloak with a large hood, called a Caracalla. He loved to wear such a cloak and had them distributed to Roman citizens.

In Germany he fought the Chatti and the Alemanni, but was defeated and had to buy peace with donations of gold. In the following year he went to Thrace to fight the Gerrhi, and from there went on to Asia Minor and founded a colony at Edessa. When he discovered that the people of Alexandria disapproved of him for his killing of Geta, he put the city to the sword and burned it. Finally, in 215 he went to Antioch to prepare for a war against the Parthians, plundered that country, scattered the bones of its kings and looted their tombs. Then he returned to Edessa for the winter (216-217) and commemorated his Parthian victory on coins. However, in 217, travelling from Edessa to Carrhae, he was killed by one of his soldiers on the orders of Macrinus, his praetorian prefect, who had himself proclaimed emperor by the army.

This, in brief, is the biography of Caracalla according to Cassius Dio and the *Historia Augusta*, but his life and deeds must also be judged in the light of certain historical information. While ancient writers of the conservative senatorial class, hostile to his 'foreign' family, were ungenerous in their accounts of this emperor whom they characterised as an insane and bloody fratricide, history owes to him an act of remarkable importance for the evolution of the empire. He established its internal unity by giving all the inhabitants of the state the same status. The instrument of this political plan was the *Constitutio Antoniniana*, the grant of

Le Terme dopo la
nevicata eccezionale
del febbraio 2012.

The Baths after the
exceptional snowfall
of February 2012.

36 capire la portata di tale provvedimento, con essa l'Impero diventava patria di tutti quelli che vi abitavano con il titolo di *civis Romanus*, sotto leggi uguali per tutti.

Un altro fondamentale provvedimento da lui adottato fu la creazione dell'*Antoninianus*, una moneta contenente tanto argento quanto il *denarius*, ma che valeva una volta e mezzo quest'ultimo, e che diventò la moneta cardine del sistema monetale romano. Si trattò di un provvedimento che tendeva a stabilizzare il sistema monetario con la coniazione di un nominale argenteo meno sopravvalutato del *denarius* rispetto al suo contenuto di metallo fine. La riforma monetaria di Caracalla cercò di ristabilire la 'fiducia' nella moneta imperiale, fortemente indebolita dalla crisi inflazionistica nella quale versava lo Stato. Le spese generali erano infatti cresciute moltissimo con l'aumento del numero di legioni voluto da Settimio Severo, ma la persistenza del pericolo sul fronte renano-danubiano e su quello orientale rendeva inattuabile ogni contenimento della spesa militare. Se la tradizione letteraria filosenatoria ha sempre dipinto Caracalla come un imperatore che spendeva patrimoni per l'esercito, è vero che il potere imperiale, in questo modo, prendeva atto del ruolo decisivo che, ancor più che in passato, giocava l'elemento militare. Le spese per gli armamenti erano cioè incomprimibili, e ad esse si aggiungevano le elargizioni ai barbari per mantenere la pace. Inoltre erano cresciute le spese per le opere pubbliche e per l'annona della capitale; erano infatti aumentate le distribuzioni ai cittadini di Roma: con regolarità se ne fecero d'olio, di vino e di carne di maiale.

In conclusione, considerando il breve e travagliato periodo del suo regno, possiamo rivalutare questo imperatore 'maledetto' alla luce di quelli che sono stati i suoi meriti storici, e per averci lasciato le sue bellissime Terme.

Marina Piranomonte

citizenship to all the inhabitants of the provinces. This is barely mentioned by ancient historians like Cassius Dio, Herodian and Aelius Spartianus, who were perhaps too close in historical terms to understand the importance of this provision, by which the empire became the homeland of all those who lived in it, each of them equal under the law with the title of *civis Romanus*. Another fundamental measure taken by Caracalla was the creation of the *Antoninianus*, a coin that contained as much silver as the *denarius* but was worth one and a half of them, and became the cornerstone of the Roman monetary system. This was a measure to stabilise the monetary system by striking a nominally silver coin that was less over-valued than the *denarius* with respect to its precious metal content. Caracalla's monetary reform sought to re-establish trust in the imperial coinage that had been weakened greatly by the inflationary crisis in which the state was caught up. State expenditure had grown vastly due to the number of legions added by Septimius Severus, and the continuing dangers on the Rhine-Danube frontier and the eastern frontier had made containment of military spending impractical. While the pro-senatorial literary tradition always depicted Caracalla as an emperor who spent a fortune on the army, it is certainly true that in this period imperial power acknowledged the decisive role played by the army in the state, to an even greater extent than in the past. Military expenditure could not be reduced, and added to it were donations to the barbarians to keep them pacified. In addition, expenditure of public works had increased, and also the cost of the *annona* (food supply) of the capital. In fact, food distributions to the citizens of Rome had increased to include regular issues of oil, wine and pork.

To conclude, in light of his brief reign and the troubled times in which he ruled, we can reconsider this 'cursed' emperor in the light of his real historical merits, and because he left behind him his beautiful Baths.

Marina Piranomonte

Apodyterium
occidentale,
veduta dall'alto.

The western
apodyterium,
seen from above.

L'architettura

Le Terme di Caracalla occupano una superficie rettangolare di circa 337 x 328 metri. Per costruire la piattaforma e colmare il dislivello tra il colle del piccolo Aventino e la valle delle Camene fu progettato un cantiere a tre grandi terrazze digradanti, nella parte più settentrionale costituito da archi in laterizio che formavano la sostruzione alla piattaforma, i sotterranei per i servizi e le *tabernae* che affacciavano sulla nuova strada d'accesso. La parte più a monte era circondata dal muro di cinta che sostruiva e conteneva il colle che fu scavato; con parte del materiale di scavo si costruì l'edificio. La differenza di quota tra il livello più basso e quello più alto era di 14 metri, il piano di calpestìo di 26 metri sul livello del mare. Nel livello più basso si trovavano tutte le gallerie di servizio, i cunicoli e le fogne, oltre alle aree di immagazzinaggio. ▶

The Architecture

The Baths of Caracalla occupy a rectangular area c. 337 x 328 m. To build its platform and fill the gap between the lesser Aventine Hill and the Valley of the Camenae, construction extended over three large terraces stepping downwards. The northernmost part was built with brick arches forming the substructures of the platform, the underground service areas, and the *tabernae* that lined the new access road. The higher part was bounded by a retaining wall that supported and contained the excavated hill; the building was constructed with part of the excavated material. The difference in height between the lowest and highest levels was 14 metres, the ground level was 26 metres above sea level. All the service galleries, tunnels and sewers were located at the lowest level, along with storage areas. ▶

42 Si è calcolato che alla costruzione abbiano lavorato novemila operai al giorno per circa cinque anni. C'erano almeno duecentocinquantadue colonne, sedici delle quali alte più di 12 metri; oltre 150 nicchie nei muri per alloggiamento di statue, molte delle quali purtroppo trasformate in calce, altre destinate alle collezioni di nobili e cardinali, come il Farnese.

L'acquedotto

L'acquedotto fatto costruire per le Terme da Caracalla come derivazione dell'*aqua Marcia*, arricchita con la captazione di nuove sorgenti, prese il nome di *aqua Nova Antoniniana* dall'imperatore. La scelta di captare nuove sorgenti da un acquedotto storico come la Marcia doveva essere legata alla necessità di avere acqua in abbondanza per un edificio termale enorme, senza impoverire gli acquedotti già esistenti. La *Marcia* portava acqua in abbondanza, tra le più buone di Roma. La sua datazione è resa possibile dall'iscrizione dedicatoria del nuovo braccio, su un fornice della via Tiburtina, nell'anno 212 d.C., secondo del regno del solo imperatore Caracalla. Il percorso dell'acquedotto non è ricostruibile con certezza, tranne che per il tratto noto da tempo che va dal cosiddetto Arco di Druso, un sovrapassaggio dell'acquedotto sulle Mura Aureliane di fronte a Porta Appia, alle nostre Terme. Dopo l'Arco di Druso, un altro segmento lungo circa 6 metri è conservato a largo delle Terme di Caracalla; parecchie arcate dell'acquedotto sono visibili nel tratto lungo viale Guido Baccelli, parzialmente coperte dalla vegetazione. L'arrivo dell'acquedotto (*castellum aquae*) era situato sul lato meridionale delle Terme, dove sono ancora conservate le diciotto cisterne che garantivano una maggiore portata d'acqua nei momenti di necessità, quali quelli della manutenzione (svuotamento delle piscine, sostituzione delle tubature in piombo, lavaggio degli ambienti ecc.). Dalle cisterne si dipartivano i tubi in piombo e in pressione che raggiungevano tutte le vasche e le fontane sparse nell'edificio.

It has been calculated that the baths' construction required nine thousand workmen each day for about five years. There were at least 252 columns, 16 of them taller than 12 metres, and more than 150 wall-niches for statues, many of which unfortunately were destroyed to make lime, while others were incorporated into the collections of nobles and cardinals like the Farnese.

The aqueduct

The aqueduct constructed for the Baths of Caracalla was a deviation of the *aqua Marcia*, enhanced by exploitation of new sources, and it took the name *aqua Nova Antoniniana* from the emperor. The decision to exploit new sources with a historic aqueduct like the Marcia must have related to the need for abundant water for the enormous bath building, while avoiding the depletion of the existing aqueducts. The Marcia provided plenty of water, some of the best in Rome. It can be dated to AD 212, when Caracalla was sole emperor, from the dedicatory inscription on its new branch, on an archway over the Via Tiburtina. The route of the aqueduct cannot be reconstructed with certainly, except for the well-known section that goes from the so-called Arch of Drusus, an overpass of the aqueduct on the Aurelian Walls adjacent to the Porta Appia, leading to the Baths of Caracalla. After the Arch of Drusus, another six metre long segment is preserved alongside the Baths of Caracalla, A few arcades of the aqueduct are visible in the section along Viale Guido Baccelli, partially covered by vegetation.

The distribution tank (*castellum aquae*) was set on the south side of the Baths, where twelve cisterns were located that guaranteed a greater supply of water when needed, such as during maintenance (emptying the pools, replacing of lead pipes, cleaning rooms, etc). Lead pipes branched off from the cisterns and water under pressure reached all the basins and fountains throughout the building.

Biblioteca, con pareti coperte da nicchie per i volumi, nicchia per una statua e panchine sui lati.

Library with wall niches for books, a niche for a statue, and benches on the sides.

Gli accessi

Un momento essenziale fu, oltre all'impianto dell'acquedotto, la creazione della nuova viabilità d'accesso alle Terme, la *via Nova Antoniniana*, che correva davanti al lato nord del complesso, collegando il Circo Massimo con la via Appia. La strada, che gli autori antichi ricordano per la sua bellezza, era molto ampia e costituiva sicuramente il degno accesso alle Terme più belle della città; ma fu anche una facile via di trasporto dei materiali da costruzione da immagazzinare nello stesso cantiere. Essa portava ai negozi porticati nei quali si dovevano trovare le scale d'accesso all'edificio. Una di queste scale, con ancora alcuni gradini in travertino conservati, è stata rinvenuta nel 1999.

Le scale dovevano essere 6, almeno a giudicare dal disegno dell'Anonimo Destailleur che le aveva così disegnate, mentre ora sono parzialmente distrutte. Esse giravano su un pianerottolo dove è stata trovata un'urna con monete di modesto valore, quasi tutti quadranti, gli spiccioli dell'epoca, che evidentemente dovevano costituire la mancia o l'obolo d'ingresso. Da queste scale si raggiungeva, tramite un secondo pianerottolo, il piano attuale d'ingresso, abbellito anch'esso dallo *xystus* e da fontane monumentali, che decoravano i quattro accessi sul lato principale (nord) del complesso. Un solo ingresso è oggi riconoscibile sul lato sud-ovest: consisteva in un monumentale scalone d'accesso dal lato del colle del piccolo Aventino, ma certamente uno scalone simmetrico doveva essere sul lato sud-est, oggi non più conservato.

La biblioteca

Accanto alla scalinata d'ingresso dal colle Aventino è riconoscibile l'unica superstite delle due biblioteche delle Terme, oggetto di scavo negli anni ottanta, dopo i primi saggi del 1912 che portarono alla sua riscoperta. L'ambiente, a pianta rettangolare di 38 x 22 metri, presenta

The entrances

Besides the aqueduct system, a key development was the creation of a new access road to the Baths, the *Via Nova Antoniniana*, which ran along the north side of the complex and connected the Circus Maximus to the Via Appia. This road, which the ancient authors record for its beauty, was very wide and formed an impressive entrance to the most splendid baths in the city. But it was also a convenient transportation route for the construction materials that were gathered for the construction of those same baths. The road passed the porticoed shops in which there must have been entrance stairways into the building. Several preserved travertine steps from one such set of stairs were found in 1999. There were probably six sets of stairs, to judge from the drawing by the anonymous Destailleur artist, but now they are partially destroyed. There was a landing where an urn was found containing low value coins, almost all *quadrantes*, the small change of that time, which must have been a gratuity or entrance fee. These stairs led, via a second landing, to the actual entrance, adorned by the *xystus* and by monumental fountains which decorated the four entrances on the main (north) side of the complex. Today a single entrance can be seen on the south-west side. This consists of a monumental access stairway from the flank of the lesser Aventine Hill. There must have been an entrance symmetrically placed on the south-east side too, but this no longer survives.

The library

The only surviving remains of the Baths' two libraries can be seen near the entrance stairway from the Aventine Hill. These were excavated in the 1980s, after their initial discovery in 1912. The room is of rectangular plan, 38 x 22 metres in size, and has three walls filled with 32 niches that held the wooden *armaria* containing books. A statue of Athena, goddess of wisdom, or some other sculptural group, must have been set in a larger niche at the

Frigidarium, in primo piano la vasca del grande *labrum.*

The *frigidarium,* with the basin of the large *labrum* in the foreground.

46 tre pareti coperte da trentadue nicchie, che ospitavano gli *armaria* lignei per contenere i libri; in una nicchia più grande, al centro della parete sud, doveva essere collocata una statua di Atena, dea della sapienza, o qualche altro gruppo scultoreo. Davanti alle tre pareti correva una 'banchina' in muratura, che doveva essere una specie di basamento sollevato per collocarvi i sedili per la consultazione dei *volumina.* Il pavimento della biblioteca, ancora parzialmente conservato, è un bell'esempio di *opus sectile* marmoreo con motivo a quadrati e rettangoli con dischi inscritti, dei quali sono stati trovati molti frammenti di marmi colorati ancora *in situ.* Il secondo piano dell'aula era servito da un ballatoio accessibile da una scala in muratura laterale che permetteva di raggiungere così gli *armaria* del piano superiore. Dietro la grande parete di fondo era una serie di stanze, probabilmente depositi e magazzini, e una scala che portava fino al colle Aventino. La biblioteca, in ossequio ai dettati di Vitruvio, aveva un sistema di doppi muri e di fodere laterizie per evitare che i *volumina,* a contatto con l'umidità, marcissero. Il confronto più stringente con la nostra biblioteca va cercato in Asia Minore, ad Efeso: la biblioteca di Celso, molto simile alla nostra, a parte le dimensioni più modeste e il fatto che era tutta di marmo.

Lo xystus

Il recinto delle Terme, circondato di portici, era diviso dal corpo centrale per mezzo di un grande *xystus* o giardino (B) per il passeggio e la conversazione. Secondo Vitruvio e Plinio lo *xystus* era il giardino preferito vicino alle ville e ai palazzi più sontuosi e aveva la caratteristica di essere circondato da portici su uno o più lati. Sicuramente, a giudicare dalla grande quantità di rocchi di colonne ancora giacenti nelle aiuole dello storico giardino di Rodolfo Lanciani, un grande portico correva sui tre lati del recinto per permettere di godere dell'ombra o per ripararsi dalla pioggia.

centre of the south wall. In front of these three walls was a masonry 'bench', which must have formed a kind of raised platform for the seats used when consulting the *volumina.* The floor of the library is partially preserved and is a beautiful example of marble *opus sectile* with square and rectangular motifs with engraved discs, and many coloured marble fragments of it remain *in situ.* The second level of the hall had a balcony reached by a lateral brick stairway that allowed access to the *armaria* on this upper floor. There was a series of rooms behind the large rear wall, probably storerooms and warehouses, and a staircase that led to the Aventine Hill. The library, following Vitruvius' dictates, had a system of double walls and brick skins to prevent the *volumina* coming into contact with moisture and decaying. The best comparison for this library is in Asia Minor, at Ephesus. This example, the Library of Celsus, is very similar to that of the Baths of Caracalla, except that former was smaller and constructed entirely of marble.

The xystus

The enclosure walls of the Baths were surrounded by porticoes, and were separated from the central buildings by a large *xystus* or garden (B), used for walking and conversation. According to Vitruvius and Pliny, a *xystus* was the preferred type of garden for the most sumptuous villas and palaces and it was characterised by porticoes surrounding it on one or more sides. It is clear from the large number of column drums still lying in the beds of the historic garden created by Rodolfo Lanciani that a large portico ran around the three sides of the enclosure walls, allowing visitors to enjoy the shade or shelter from the rain.

The side exedrae

Two beautiful heated rooms may have been set in the two large exedrae of the perimeter wall, and there may have been latrines behind their high wall, although the location of the latrines

Le Terme di Caracalla
in una incisione
di Duquesne, 1901.

The Baths of Caracalla,
engraving by
Duquesne, 1901.

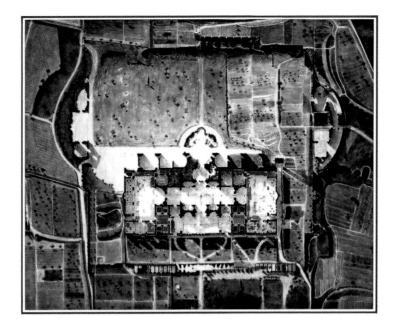

Planimetria generale del complesso con individuazione dei principali ambienti
A = *Tabernae* del recinto perimetrale
B = Giardino o *xystus*
C = Scalinata
D = Cisterne
E = Stadio (?)
F = Biblioteca
G = *Caldarium*
H = Sala
I = *Laconicum*
L = Palestra
M = *Apodyterium*
N = *Natatio*
O = *Frigidarium*
P = *Tepidarium*
Q = *Vestibulum*
R = Mitreo
S = Sotterranei

The plan of the complex with details of the main rooms
A = Tabernae of surrounding wall
B = Garden or Xystus
C = Stairway
D = Cisterns
E = Stadium (?)
F = Library
G = Caldarium
H = Hall
I = Laconicum
L = Palaestra
M = Apodyterium
N = Natatio
O = Frigidarium
P = Tepidarium
Q = Vestibulum
R = Mythraeum
S = The underground levels

48 *Le esedre laterali*

Nelle due grandi esedre sul perimetro forse si trovavano delle belle sale riscaldate, e dietro la loro alta parete si potrebbero collocare le latrine, mai veramente riconosciute nelle nostre Terme; la posizione periferica e nascosta, il collegamento con acqua corrente e la simmetria con quelle delle successive Terme di Diocleziano, potrebbero identificarle in questi due ambienti.

Il corpo centrale

La pianta del corpo centrale si presenta come un volume rettangolare chiuso di circa 214 x 110 metri, dal quale sporgono solo il *caldarium* (G) circolare e due piccole esedre laterali, inglobate in due ambienti rettangolari simmetrici, nei quali si riconoscono, anche da confronti con altri edifici termali, le palestre (L), circondate da portici e coperte al centro. Altri ambienti dalla chiara destinazione d'uso sono gli *apodyteria* o spogliatoi (M), la *natatio* (N) o piscina scoperta, il *frigidarium*, grande aula coperta con quattro vasche di acqua fredda sui lati lunghi (O), il *tepidarium* (P) con due vasche e il *caldarium* (G) con sette vasche per i bagni d'acqua calda. Ai lati del *caldarium* si trovavano gli ambienti per le *sudationes*, i *laconica* (I), quattro per lato, con concamerazioni d'aria calda che attraversavano le pareti e un complesso sistema di gestione dei fumi e del vapore. L'edificio si articolava su due piani, almeno nelle palestre, negli ambienti annessi e negli *apodyteria*, in due dei quali sono ancora conservate le scale d'accesso al piano superiore, illuminate da strette finestre. Al secondo piano dovevano trovarsi ambienti d'uso difficilmente ricostruibile, ma che possiamo immaginare destinati al massaggio, all'elioterapia, alla depilazione. Analizzando la pianta, si nota che l'edificio presenta i *vestibula* (Q), ingressi sul lato nord, gli *apodyteria* e le palestre raddoppiati e simmetrici rispetto al corpo termale vero e proprio; in quest'ultimo invece

has never been definitively identified in the Baths of Caracalla. The peripheral and hidden character of these locations, their proximity to running water and their similarity to latrines in the later Baths of Diocletian suggests that they were located in these two rooms.

The central nucleus

The plan of the central nucleus forms a rectangle of c. 214 x 110 metres. Only the circular *caldarium* (G) and two small side exedrae project from this rectangle, both of the latter incorporated into symmetrical, rectangular areas, which we can identify by comparison with other bath buildings, as the palaestras (L), surrounded by porticoes and covered at their centre. Other rooms with a clearly intended use were the *apodyteria* or changing room (M), the *natatio* (N) or open air swimming pool, the *frigidarium*, a large covered hall with four pools of cold water on its long sides (O), the *tepidarium* (P) with two pools, and the *caldarium* (G) with seven pools for bathing in hot water. Flanking the *caldarium* are rooms for the *sudationes* (sweat-baths), the *laconica* (I), four on each side, with conduits for hot air that carried hot air from one room to another and a complex system for controlling fumes and smoke. The palaestras and connected rooms, and the *apodyteria* of the building are set on two levels. The access stairs to the upper floor from two of these rooms still survive, illuminated by narrow windows. On the second floor there were rooms whose function is uncertain, but we can imagine they were for things like massage, heliotherapy and depilation. Looking at the plan, we can see that the building's *vestibula* (Q), north side entrances, *apodyteria* and palaestras are double and symmetrical relative to the main bath building itself, but within the main nucleus itself, in contrast, the *natatio*, *frigidarium*, *tepidarium* and *caldarium* are set on a single axis, avoiding as far as possible dispersal of heat and taking advantage of the sun's heat and the

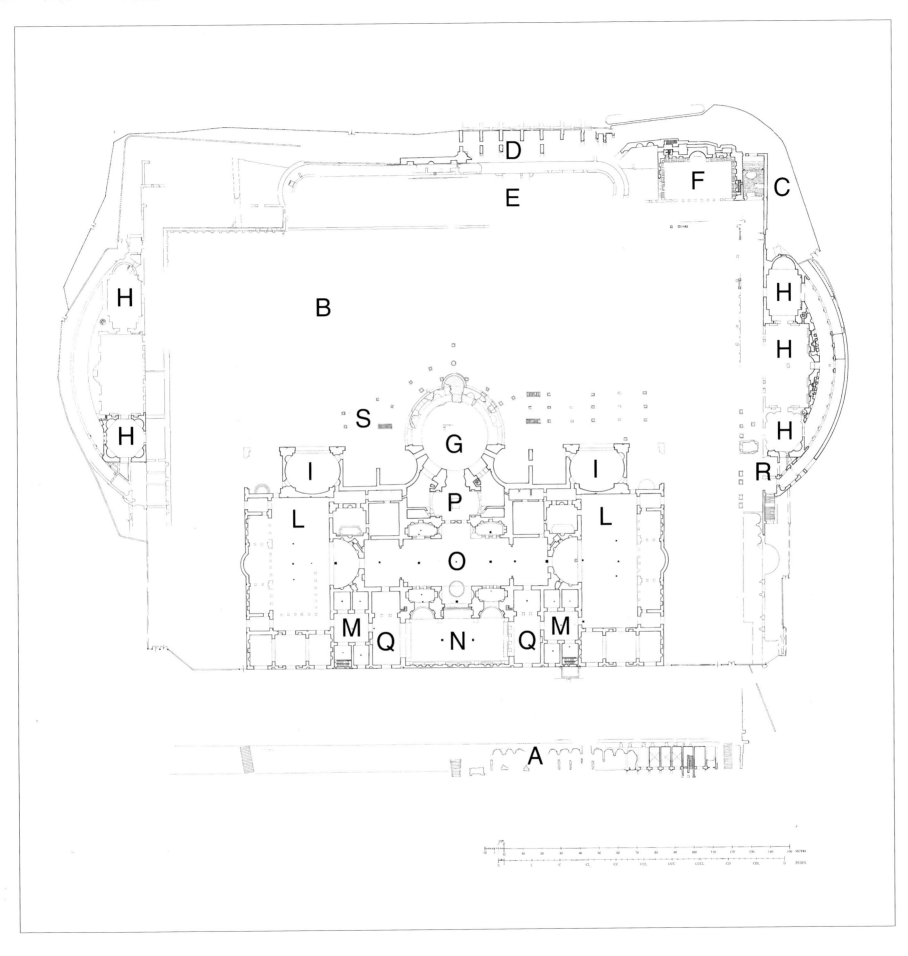

Vista dalla vasca della *natatio* verso le arcate del *frigidarium*.

View of the *natatio* basin looking towards the arches of the *frigidarium*.

50 *natatio*, *frigidarium*, *tepidarium* e *caldarium* sono disposti su un unico asse, per evitare al massimo la dispersione di calore e sfruttare l'insolazione e l'esposizione a occidente delle zone calde, dove d'estate il sole batte fino al tramonto. I percorsi dei bagnanti potevano così essere assiali e circolari al tempo stesso, con massima fluidità di percorsi e minima dispersione di calore.

Il frigidarium

Il grande salone del *frigidarium* rappresentava il vero e proprio centro dell'edificio, compreso tra *natatio* e *caldarium*; costituiva con quest'ultimo la parte più notevole del complesso termale. Il *frigidarium* era una vasta aula, 58 x 24 metri, coperta da tre grandi crociere poggianti su otto colossali colonne di granito grigio egiziano addossate alle pareti, che ne sostenevano la spinta e collegavano l'ambiente a quelli vicini, mentre sul lato nord il prospetto si presentava scandito da tre arconi che incorniciavano la bellissima parete a nicchie della *natatio*. Tutti i pilastri erano collegati tra loro da due ordini di arcate, delle quali il superiore aveva grandi finestre. I lati lunghi erano occupati alle estremità da quattro nicchioni in cui si trovavano le vasche per l'acqua fredda, aperte verso l'interno del salone con due colonne di porfido e sovrastate da grandi arcate.

La sala aveva una pavimentazione in *opus sectile* marmoreo, a lastroni di marmo con dischi di granito e porfido entro quadrati, purtroppo scomparsa; le pareti erano ricoperte da una zoccolatura marmorea policroma, della quale resta solo la preparazione. Probabilmente nelle nicchie alle pareti, dov'erano collocate le statue, c'era un rivestimento di mosaici in pasta vitrea che creavano un effetto iridescente con l'acqua; mosaici di pasta vitrea sono stati individuati nelle lunette delle pareti dei lati corti.

Sappiamo che nel *frigidarium* erano collocati i due colossali Ercoli in riposo ora conservati uno al Museo Archeologico di Napoli e l'altro

westward orientation of the heated areas, which in summer were exposed to the sun's rays until sunset. Thus the route taken by the bathers was axial and circular at the same time, with great fluidity of movement and minimum dispersion of heat.

The frigidarium

The large hall of the *frigidarium* was the real centre of the building, set between the *natatio* and the *caldarium*. With the *caldarium* it formed the most notable part of the bath building. The *frigidarium* was a vast hall, 58 x 24 metres in size, roofed with three large cross vaults mounted on eight colossal columns of grey Egyptian granite that were set against the walls, supporting the weight of the vault and connecting the room to the others nearby. On the north side presented a vista articulated by three large arches framing the beautiful niched walls of the *natatio*. All the pilasters were connected to each other by two levels of arcades, the upper one with large windows. There were four large niches with the cold water basins at the ends of the *frigidarium*'s long sides, opening onto the inside of the room through two porphyry columns topped by large arches.

The hall was paved in marble *opus sectile* consisting of discs of granite and porphyry within large square marble frames, all of which are now lost. The walls had a polychrome marble socle, only the preparation for which remains. The wall niches, which held statues, were probably decorated with glass paste mosaic to create an iridescent effect with the water. Glass paste mosaics have been found in the lunettes in the walls of the hall's short sides.

We know that the two colossal statues of Hercules in Repose, now kept at the Museo Archeologico di Napoli and the Palace of Caserta, were set in the *frigidarium*. Over three metres high, they fitted well into the architecture of this grand hall, near the columns with the famous colossal figured capitals that divided the great basilica hall into three parts.

52 alla Reggia di Caserta: alti più di tre metri, ben si inserivano nell'architettura di questa grande sala, accanto alle colonne con i celebri capitelli colossali figurati che tripartivano la grande aula basilicale.

Il *frigidarium* aveva la funzione principale di raccolta e di smistamento dei frequentatori delle Terme da una sala all'altra dell'edificio, in quanto la sua posizione centrale lo rendeva il fulcro dei percorsi dei bagnanti; ma aveva anche la funzione di piscina fredda coperta, per la presenza di quattro grandi vasche, due delle quali comunicanti con il *tepidarium* sul lato sud, e le altre due invece collegate, con un gioco di cascata, con la natatio sul lato nord. Su quest'ultimo, al centro tra le due grandi vasche in muratura, è riconoscibile l'alloggiamento di una grande vasca-fontana circolare, ora al Museo Archeologico di Napoli.

La monumentale aula di tipo basilicale del *frigidarium* ha ispirato l'architettura di molti altri importanti edifici pubblici successivi, quali le Terme di Diocleziano e la Basilica di Massenzio. Ma la sua influenza non si ferma agli edifici imperiali: le stazioni ferroviarie di Chicago e la Pennsylvania Station di New York e tutta la grande architettura neoclassica del Nuovo Mondo si ispirarono ai suoi grandi spazi.

Il caldarium

Il caldarium, a pianta circolare, pavimentato in marmo, coperto da una cupola di quasi 36 metri di diametro (poco più piccola di quella del Pantheon) è un altro ambiente di grande rilevanza monumentale. Le pareti erano attraversate da una doppia serie di archi che scaricavano solo su otto pilastri in muratura il peso della cupola; sotto gli archi si aprivano ampie finestre a vetri, che con le grandi dimensioni dovevano contribuire al riscaldamento dell'ambiente tramite irraggiamento solare e alleggerire il peso dell'intera struttura. Il *caldarium* comunicava attraverso uno stretto passaggio con il piccolo *tepidarium*, e mediante due porte laterali con le quattro saune (*laconica*), simmetriche per

The main function of the *frigidarium* was to gather and direct the baths' users from one room to another in the building, and its central position made it the pivotal point on the routes taken by bathers. But the presence of its four large pools meant that it also functioned as a covered cold swimming pool. Two of the pools connected with the *tepidarium* to the south, and the other two were linked by a water cascade to the *natatio* to the north. In the centre of the *natatio*, between the two large stone basins, the setting for a large basin-fountain (now at the Museo Archeologico di Napoli) can be seen.

The monumental basilica-style hall of the *frigidarium* inspired the architecture of many later important public buildings, such as the Baths of Diocletian and the Basilica of Maxentius. But its influence did not stop with Roman imperial buildings. The train station in Chicago, Pennsylvania Station in New York and all the grand neoclassical architecture of the New World was inspired by its huge spaces.

The caldarium

The *caldarium* is another room of great monumental significance. It has a circular plan, is paved in marble, and is roofed with a cupola almost 36 metres in diameter (only slightly smaller than that of the Pantheon). Its walls were spanned by a double series of arches that supported the weight of the cupola on just eight brick pilasters. Beneath the arches there were wide glass windows, which because of their large dimensions must have contributed to the heating of the room by allowing sunlight to enter and lightened the weight of the structure as a whole. The *caldarium* was connected by a narrow corridor to a small *tepidarium*, and though two side doors to the four saunas (*laconica*), symmetrically placed on each side. Beneath the room were furnaces to heat water that filled the seven marble basins (9 x 5 x 1 metres) in the room. Six basins can still be seen, while the seventh must

54 lato. Al di sotto dell'ambiente si trovavano i forni per il riscaldamento dell'acqua che riempiva le sette vasche di marmo (9x5x1 metri) della sala. Sei vasche sono ancora individuabili, la settima deve essere stata sostituita da una piccola abside sul lato sud durante il già citato restauro di Costantino.

Gli altissimi muri del *caldarium* subirono grandi crolli, probabilmente a causa dei terremoti che colpirono Roma nel Medioevo. Dal 1937 quello che rimaneva della grande rotonda fu occupato dal palcoscenico del Teatro dell'Opera, che insisteva sulle sue fragili strutture con plinti di laterizi e ferro a diretto contatto con le vasche; perciò non si è mai potuto intervenire con un necessario restauro. I due alti pilastri superstiti, i "Giganti" dell'Ode di Giosuè Carducci *Alle Terme di Caracalla* sono senz'altro l'immagine più nota del monumento. Durante la nuova stagione estiva del Teatro dell'Opera costituiscono la scenografia più familiare e amata dal pubblico.

La natatio (piscina scoperta)

Anche la *natatio*, vera e propria piscina olimpionica, doveva essere un ambiente di grande impatto: la sua facciata nord era divisa in tre parti da gigantesche colonne di granito grigio; ogni parte conteneva sei nicchie per statue, tre per ognuno dei due livelli, divisi da due ordini: il più basso con rocchi di marmo caristio, il più alto di granito del Foro. Nella fila di nicchie del piano inferiore sono ancora riconoscibili i condotti dell'acqua che alimentavano a cascata la piscina. Di dimensioni imponenti (50x22 metri) e con pareti di oltre 20 metri d'altezza sui lati corti, si entrava, per mezzo di una scalinata, nella vasca, non molto alta e quindi poco adatta ai tuffi. Un confronto stilistico per questo ambiente è possibile con le *frontes scenae* dei teatri ellenistici, ma soprattutto con un monumento vicino anche topograficamente e cronologicamente, il *Septizodium* costruito dal padre di Caracalla,

have been replaced by a small apse on the south side during the aforementioned Constantinian restorations.

The extremely high walls of the *caldarium* suffered serious collapse, probably due to the earthquakes that hit Rome in the Middle Ages. By 1937 the stage building of the Opera Theatre occupied all that remained of the grand rotunda, and imposed on its fragile structure brick plinths and iron in direct contact with the basins. For this reason it has never been possible to undertake the necessary restorations. The two surviving high pilasters, the 'Giants' in Giosuè Carducci's ode *Alle Terme di Caracalla* undoubtedly provide the monuments most famous image. During the Opera Theatre's new summer season they provided a backdrop that was well-known and popular among the visiting public.

The natatio (open-air swimming pool)

The *natatio*, a truly Olympic-sized swimming pool, must have been another impressive structure. Its northern façade was divided into three sections by gigantic grey granite columns. Each section contained six statue niches (three for each of the two levels) divided by two orders. The lower order was made with column drums of Carystian marble, the upper one of Granito del Foro. The conduits for the water that poured into the swimming pool can still be seen in the line of niches on the ground floor. The pool was of impressive dimensions (50 x 22 metres) with walls over 20 metres high on its short sides. It was entered by steps and was not very deep and so not suitable for diving. The area can be compared stylistically with the *frontes scenae* of Hellenistic theatres, but also with a monument closer to it in both topographical and chronological terms, namely the *Septizodium*, built by Caracalla's father, Septimius Severus. This is now lost, but known from antique engravings. The architecture of the baths is Hellenistic in style, with a great theatrical effect, and the cascade of water into the swimming pool with the niches framed by colos-

Settimio Severo, purtroppo scomparso ma noto da incisioni antiche. L'architettura delle Terme è di tipo ellenistico, di grande effetto scenografico; e la cascata d'acqua della piscina con le nicchie inquadrate dalle colonne colossali è un'evidente citazione della grande architettura asiatica familiare ai Severi. In uno degli scalini originali della *natatio* è ancora visibile un antico gioco romano, il gioco delle fossette o *tropa*, che consisteva nell' infilare noci o biglie in piccole buche, spesso (come nel nostro caso) disegnate o incise sugli scalini dei Fori o delle Terme, in un certo ordine fino alla buca più lontana. La nostra *tropa* sul primo scalino della piscina fa immaginare bagnanti che giocano mollemente adagiati nella grande vasca, e ci riporta agli ozi delle Terme.

Le palestre

Le due palestre erano simmetriche, identiche e molto grandi, organizzate su due piani e coperte. La loro disposizione con un ampio colonnato che sosteneva le terrazze dei piani di sopra e una ricca decorazione architettonica (v. Jenewein, *infra*), nonostante i pochi resti decorativi rimasti, ne fanno un vero capolavoro che ancora adesso suscita meraviglia: marmi magnifici, colonne di giallo antico, pavimenti a mosaico colorato al piano terra, con motivi geometrici curvilinei e una ricchezza di colori inconfondibile, pavimenti a mosaico bianco e nero al piano superiore, con motivi decorativi marini, tra i quali delfini, mostri marini, eroti, Nereidi. Nelle esedre delle palestre si trovavano i celebri mosaici con gli atleti ora ai Musei Vaticani. Nelle palestre erano inoltre due capolavori di marmo colossali, dei quali il celebre Toro Farnese (ora al Museo Archeologico di Napoli) è sopravvissuto, mentre un altro gruppo, forse con il mostro marino Scilla, è scomparso.

Gli spogliatoi (apodyteria)

Gli spogliatoi erano quattro ambienti simmetrici, con una stanza al centro servita da ballatoio; organizzati su due piani, si trovavano vicini

sal columns is a clear reference to the grand eastern architecture familiar to the Severans. An ancient Roman game can be seen on one of the steps of the *natatio*. This was the game of *tropa*, in which nuts or marbles were rolled in a particular order into small holes, often (as here) drawn or incised on the steps of *fora* or baths, until the most distant hole was reached. In this case the *tropa* was on the first step of the pool, and leads us to imagine that bathers played while reclining in the water, highlighting the leisurely character of the bathing experience.

The palaestras

The two palaestras were symmetrical, identical and very large, covered and arranged over two levels. They were laid out with a wide colonnade that supported the terraces of the levels above and had rich architectural decoration (see Jenewein, *infra*). While little remains of the decoration, this was a true masterpiece that still inspires wonder. There were magnificent marbles, Numidian yellow columns, coloured mosaic floors on the ground level, with curvilinear geometric motifs and a wealth of incomparable colours, black and white mosaic floors on the upper level, with decorative marine motifs such as dolphins, sea monsters, cupids and Nereids. The famous mosaics depicting athletes, now in the Vatican Museums, were set in the exedrae of the palaestras. There were also two colossal marble masterworks in the palaestras, the famous Farnese Bull (now in the Museo Archeologico di Napoli) and another group, perhaps with the sea monster Scylla, which no longer exists.

The changing rooms (apodyteria)

The changing rooms were four symmetrical rooms and a central room with an interior balcony. They had two storeys and were located near the entrances where they functioned as waiting rooms for visitors to the baths. This is where they left their clo-

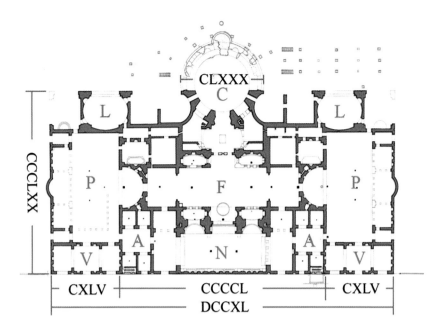

Pianta del corpo centrale dell'edificio con misure in piedi asiatici. Pavimento della palestra orientale. Palestra orientale.

Plan of the central buildings of the structure with measurements in Asiatic feet. The flooring of the eastern palaestra. Eastern palaestra.

58   agli ingressi ed erano il punto di sosta per i clienti delle terme, dove si lasciavano i vestiti, e nel caso dei più ricchi anche un servo di guardia, per evitare furti. Gli ambienti erano pavimentati a mosaico bianco e nero; una scala per lato serviva i piani di sopra, e da lì raggiungeva altri vani alti del complesso. I bei pavimenti ad onde e mistilinei sono quasi tutti perfettamente conservati e nell'*apodyterium* orientale è ancora ben conservata la scala d'accesso al secondo piano con strette finestre-lucernaio, che portava al piano superiore, pavimentato a mosaico nero.

La metrologia dell'edificio

I Severi, costruttori delle Terme, erano di provenienza e di gusto orientale, e l'architettura delle Terme è ispirata a quella asiatica, nella straordinaria ricchezza e policromia delle decorazioni. Ma l'impronta asiatica dell'edificio è presente anche nel progetto del complesso e nelle sue misure.

I Romani non consideravano gli architetti dei loro grandi edifici degni di menzione, tanto che se ne conoscono pochissimi. Il più celebre è Apollodoro di Damasco, attivo all'epoca di Traiano, per il quale costruì il Foro e i Mercati, e di Adriano. Non conosciamo il nome dell'architetto di Caracalla: non doveva essere romano, ma forse asiatico anche lui, come i migliori artisti del tempo. La prova è proprio nelle misure dell'edificio: infatti se si trasformano le misure moderne, in metri, in quelle in piedi romani (cm 29,6), nessuna misura combacia precisamente; ma se a queste aule, vasche, addirittura statue e frammenti applichiamo il piede asiatico (cm 29,42) tutto combacia perfettamente. Tale scoperta dimostra che gli architetti orientali applicavano agli edifici le misure a loro più familiari e che il piede romano, diffuso in tutto l'Impero, proprio a Roma non veniva sempre applicato.

Marina Piranomonte

thes, and in the case of the wealthiest also a slave to guard them, to deter thieves. The rooms had black and white mosaics. A stairway on each side led to the floor above, and from there the other upper rooms in the complex could be accessed. The beautiful floors depicted waves and undulating lines are almost perfectly preserved. In the eastern *apodyterium* the access stairs to the second floor, with their narrow windows is still well preserved, paved with a black mosaic.

The metrology of the building

The Severan emperors who built the baths, were easterners in origin and in their tastes. The baths' architecture was inspired by Asian models in terms of the extraordinary richness and colour of its decoration. But the Asian stamp on the building is also present in the planning of the complex and its dimensions.

The Romans did not consider the architects of their grand buildings to be worthy of mention, so we know only a few of them. The most famous was Apollodorus of Damascus, active during the reign of Trajan, for whom he built the Forum and Markets, and that of Hadrian. We do not know the name of Caracalla's architect, but he could not have been Roman and may also have been of eastern origin, like the best artists of the period. Evidence for this can be seen in the dimensions of the building. If we change the modern measurements, in metres, into the Roman foot (29.6 cm), none of the measurements fit precisely; but if we apply the Asian foot (29.42 cm) to the halls, basins, and even the statues and other fragments, everything fits perfectly. This discovery shows that eastern architects employed in their buildings the measurements most familiar to them, and that the Roman foot, used throughout the Empire, was not always used in Rome itself.

Marina Piranomonte

La decorazione architettonica: l'accento sull'imperatore

Con i materiali esposti per la prima volta al pubblico nelle gallerie di servizio si è cercato di mettere in rilievo le parti della decorazione architettonica che, oltre alla qualità ornamentale, si distinguano per il loro contenuto ideologico. Gli ambienti più ricchi in tale senso erano le due 'palestre', poste simmetricamente alle due estremità dell'asse trasversale che, passando per il *frigidarium*, riunisce le decorazioni più eloquenti. Le 'palestre' erano due grandi ambienti pavimentati con mosaici colorati e circondati sui lati corti e su quello lungo rivolto verso l'interno dell'edificio da portici che sorreggevano le terrazze sopra le volte, pavimentate con mosaici in bianco e nero. ▶

The Architectural Decoration: The Emperior Emphasided

The objects displayed for the first time in the service galleries are intended to highlight in particular all those parts of the architectural decoration that are distinguished by their more or less obvious ideological character as well as their ornamental function. The richest areas in this sense were the two 'palaestras', located symmetrically at the two ends of the transverse axis. It passes through the *frigidarium* to embrace the most eloquent decorations. These 'palaestras' were two large rooms paved with coloured mosaics, flanked by porticoes on their short sides with the long side facing the interior of the building. The porticoes supported terraces over the vaults, and were paved with black and white mosaics. ▶

62

Erano formati da 16x7 colonne con fusti di granito grigio e basi, capitelli, trabeazione e anche rilievi in marmo pentelico, tra i più pregiati, che proviene dal monte Pentelikon nei pressi di Atene.

Iniziando dal basso, nella base di colonna riccamente decorata notiamo la corona di quercia come primo elemento sopra il plinto; corona che si ripeteva anche nei capitelli dove incorniciava le teste di divinità, tra cui Giove, che rimpiazzavano una parte dei soliti fiori sull'abaco. Questi capitelli sono carichi anche di altri simboli che inconfondibilmente alludono a Giove, cioè all'imperatore, rappresentante di Giove sulla terra: le aquile – uccelli sacri al dio ed emblema dell'impero – che sorreggono gli angoli dell'abaco, e i fasci di fulmini, attributo di Giove, che sopra le corone di foglie di acanto e di palmette occupano i quattro lati del capitello.

Sopra i capitelli seguiva un architrave con fregio uguale a quello che, alla stessa altezza, correva lungo le pareti: un fregio con girali di acanto arricchito da eroti intenti alla caccia; è qui rappresentato dalla lastra con il cinghiale, mentre una grande porzione dello stesso architrave si vede ricollocata *in situ* nella 'palestra' orientale. Sopra il fregio poggiava la cornice – una delle più ricche di ornamenti pervenuteci dall'antichità romana – di cui qui si espongono i blocchi meglio conservati. Si distingue non solo per il numero insolitamente alto delle fasce ornamentali, ma anche per la loro tipologia che combina i motivi canonici quali astragalo, ovolo e dentello con altri rari che, nell'ambito delle Terme di Caracalla, compaiono solo nel contesto delle 'palestre'. Sono in buona parte ornamenti ripresi da architetture di età flavia (tardo I secolo d.C.), e in particolare dall'*aula regia*, la sala del trono nei palazzi imperiali sul Palatino. Per esempio, risalgono a tali modelli le palmette nei capitelli, ma anche nei vari tipi di *anthemion*, gli ornamenti composti da palmette, calici di acanto ecc., che qui si incontrano nelle basi, nell'architrave e nella cornice. I modelli – conosciuti e copiati proba-

They were composed of 16 x 7 columns with grey granite drums and bases, capitals, entablature and also, as we will see, reliefs of Pentelic marble, a white marble with warm undertones, one of the most valuable types of marble, from Mount Pentelikon near Athens.

Starting at the lowest level, we can see on the bases of the richly decorated columns a crown of oak leaves forming the first element above the plinth. This type of crown is repeated on the capitals, where they adorn the heads of the gods, including Jupiter, that replace part of the usual floral motifs on the abacus. Besides Jupiter's head and the crowns of plants such as the oak that were sacred to him, the capitals are heavy with other symbols alluding unmistakably to Jupiter or, rather, to the emperor, Jupiter's representative on earth. These are the eagles – birds sacred to the god but also an emblem of empire – which support the corners of the abacus, and the distinctive attributes of Jupiter, the lightning bolts located on the four sides of the capital, above the acanthus-leaf and palmette crowns.

An architrave is set above the capitals. It has a frieze identical to that which ran along the walls at the same height. The frieze has acanthus spirals decorated with *erotes*, the cupids or winged cherubs that are nothing more than 'replicas' of the god of love, engaged in hunting various animals. Part of the frieze depicting wild boar can be seen here, while a large section of the architrave can be seen *in situ* in the east 'palaestra'. Above the frieze was one of the most richly decorated cornices to have come down to us from ancient Rome. The best preserved blocks are displayed here. The frieze is characterised not just by the unusually high number of ornamental bands, but also by their typology which combines canonical motifs such as astragals, ovulo motifs and dentils with other rare or very rare motifs that, in the Baths of Caracalla, appear only in the context of the 'palaestras'. These motifs are largely taken from Flavian period architecture, of the late 1st century AD, and in particular from the *aula regia*, the throne room of the imperial palaces on the Palatine. To cite just one example, the

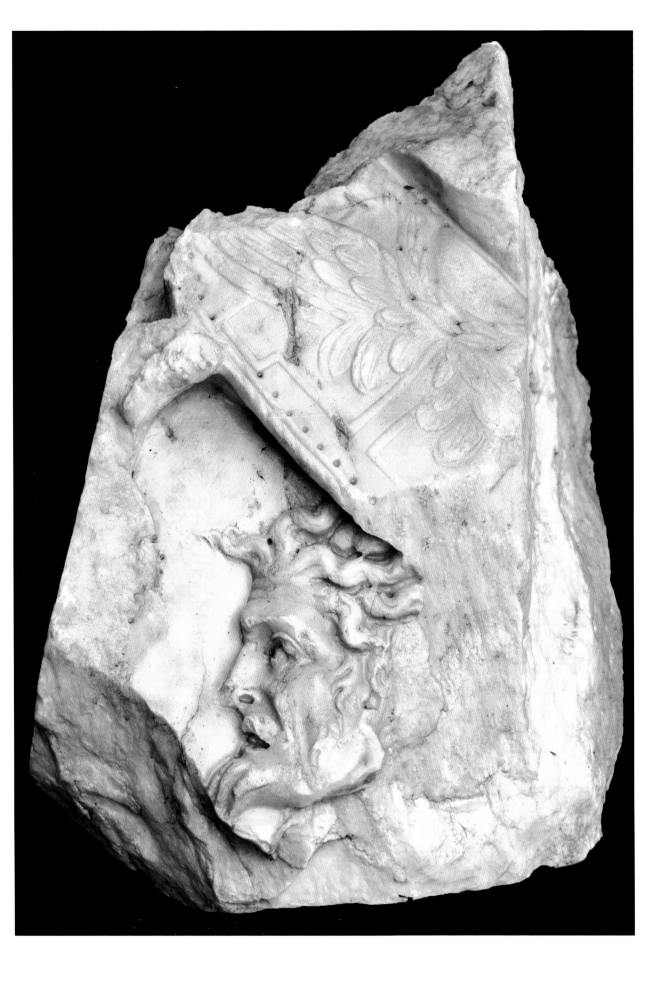

Frammento con
finestre e tetto
di un grande edificio,
forse una basilica,
del grande rilievo
storico delle palestre.

Fragment depicting
the windows and roof
of a large building,
perhaps a basilica,
from the large
historical relief
in the palaestras.

64

bilmente in occasione di un restauro del palazzo imperiale in età severiana (200 d.C. circa) – vengono qui ripetuti con tutti i tratti iconografici e stilistici. Forse non è troppo ardita l'ipotesi che con tale corredo marmoreo si volessero evocare i fasti della dimora dell'imperatore, ripetuti nel monumento da lui eretto per il popolo.

I pezzi più sorprendenti, perché unici in un edificio termale, sono gli elementi marmorei collocati sopra la cornice, a rivestire il lato esterno delle volte fino all'altezza delle terrazze soprastanti, per una lunghezza complessiva in ciascuno dei due ambienti di 93,5 metri. Sono i rilievi con cataste di armi e un rilievo storico di cui si espongono alcuni dei frammenti superstiti. Sopra la cornice del colonnato e una modanatura non più identificabile erano collocati i blocchi con il rilievo di armi che, girando anche loro intorno al grande spazio interno, formavano una specie di zoccolo comparabile, nella funzione e nella tematica, con il basamento della colonna di Traiano. Mentre in quest'ultimo vengono illustrate le armi dei Daci vinti da Traiano, nel nostro caso sono raffigurate armi proprie alle popolazioni germaniche, o più generalmente nordiche: tra gli altri, uno scudo esagonale con l'emblema di un lupo, il cappuccio di pelo o una corta spada a doppio taglio.

Chiari riferimenti a popolazioni 'nordiche' si trovano anche nel rilievo storico che era posto sopra questo basamento con le armi; come modanatura di base aveva un festone di quercia, motivo identico all'ornamento delle basi di colonna. Il frammento più espressivo è quello con la testa di un barbaro, probabilmente un guerriero germanico, affrontato da un soldato romano, identificabile tramite l'elmo di cui sono rimasti solo i contorni. Si tratta dunque di una scena di battaglia, mentre non si riesce più a definire il contesto di altri frammenti del grande rilievo, alto circa due metri. Sono parti di figure umane, come le gambe di un barbaro in brache, di un cavallo con qualche piega del mantello del cavaliere sul dorso, dei rami di un pino che faceva da

palmettes in the various types of *anthemion*, the ornaments made up of palmettes, acanthus calices and so on, here seen on the bases as well as on the architrave and cornice and elsewhere, derive from such models. Palmettes also replace every other acanthus leaf in the upper crown of the capitals with the eagles. The models were probably noticed and copied when the imperial palace was restored in the Severan period, c. AD 200. They are repeated here with not just all their iconographic traits reproduced but also the stylistic ones, given the particularly careful work that distinguishes all this Pentelic marble decoration. Perhaps it isn't taking a hypothesis too far to suggest that the marble decoration was (also) intended to evoke the magnificence of the emperor's home, repeated in this monument built by him for the people.

The most surprising pieces, not found in any other bath building, are the marble elements located over the cornice, covering the outside of the vault up to the level of the terrace above, for a total length of 93.5 m in each of the rooms. These are reliefs depicting piles of weapons and a historical relief, and some of the surviving fragments (unfortunately few in number) are displayed here. Above both the colonnade's cornice and another moulding that can no longer be identified were set the blocks with reliefs of weapons. They also encircled the large interior space, forming a sort of socle comparable in both function and theme to the base of Trajan's Column. On Trajan's Column they depicted the arms of the Dacians who were conquered by Trajan. Here, instead, are mostly depicted weapons belonging to Germanic or, more generally, Northern, peoples. They include a hexagonal shield with wolf emblem, the animal skin headdress and a short double-edged sword of distinctive type.

Clear references to 'Northern' peoples are also found in the historical relief that was positioned above the base with the weapons. This had an oakleaf festoon motif that served as its base moulding, and was also found on the column bases. The most vivid fragment has to be the one depicting the head of a barbarian,

Capitello figurato proveniente dal *frigidarium*, Bacco.
Capitello figurato proveniente dal *frigidarium*, Ercole.

Figured capital from the *frigidarium*, Bacchus.
Figured capital from the *frigidarium*, Hercules.

66   sfondo o separava due scene del 'racconto' marmoreo. Dall'estremità superiore proviene un blocco con, nella parte del rilievo, finestre e tetto di un grande edificio, forse una basilica; ci fa capire che la scena rappresentata nelle lastre sottostanti doveva svolgersi in una città o in un accampamento. Il blocco conserva anche una porzione della cornice finale che ripete alcuni degli ornamenti già presenti in quella principale del colonnato sottostante.

I pezzi esposti, cui si aggiungono piccoli frammenti di romani e di barbari, di cavalli, e alberi, ma anche di oggetti come le *fasces* (le insegne dei littori) ci fanno intuire la natura complessa di questo rilievo. Sul modello del grande fregio traianeo, in parte riutilizzato nell'Arco di Costantino, o anche delle colonne di Traiano e di Marco Aurelio, il rilievo doveva comprendere tappe di una campagna militare, scene di battaglia e di vita militare, e altri episodi incentrati sull'imperatore.

Data l'esiguità dei frammenti conservati, non possiamo sapere con certezza quali guerre contro popolazioni 'nordiche' fossero rappresentate in questi rilievi. Si potrebbe trattare della campagna di Settimio Severo contro i Britanni dal 208 d.C. in poi, a cui partecipò anche Caracalla, oppure la spedizione di quest'ultimo in *Raetia* e Germania nel 213 d.C. Non si può escludere che la tematica delle guerre germaniche (o britanniche) occupasse solo una delle due 'palestre', più precisamente quella nord-occidentale – per via dei rilievi con le armi nordiche – mentre nell'altra, sud-orientale, potremmo immaginare alcune scene della campagna di Settimio Severo contro i Parti del 197/198 d.C., durante la quale il giovane Caracalla venne elevato alla dignità di *Augustus*.

Ci troviamo quindi di fronte a una sequenza di simboli e di riferimenti all'imperatore, che vanno dalle basi delle colonne fino al livello delle terrazze sopra le volte dei portici. Sul lato delle grandi esedre semicircolari, dalle quali provengono i famosi mosaici con figure di atleti, oggi

probably a German warrior, confronted by a Roman soldier, who is identifiable by his helmet of which only the outline remains. This is, therefore, a battle scene. It is no longer possible to establish a context for the other fragments of this large relief, which was about two metres high. There are parts of human figures such as the legs of a barbarian dressed in trousers, a horse with several folds of its rider's cloak on its back, the branches of a pine tree that served as a backdrop or separated two scenes of a continuous narrative carved in marble. Finally, from the very top came the piece of a block depicting in relief the windows and roof of a large building, perhaps a basilica, which leads us to believe that the scene depicted in the reliefs below must have been laid in a city or encampment. The block also preserves part of the final cornice which repeats several of the ornaments already seen in the main cornice of the colonnade beneath.

Besides the pieces on display, there are small fragments of Romans and barbarians, horses, various trees, and also objects such as the *fasces*, the emblem of the lictors who accompanied the emperor and other magistrates. Together these fragments allow us to understand the complex nature of the relief. Just like the Great Trajanic Frieze, partly reused in the Arch of Constantine, or the Columns of Trajan and Marcus Aurelius, to cite only comparanda in Rome itself, the relief must have illustrated different stages in a military campaign, various scenes of battle and military life and, perhaps, other episodes focused on the emperor.

Given the small number of fragments preserved, it is impossible to know for sure which wars against 'Northern' peoples were illustrated in these reliefs. They may depict the campaigns of Septimius Severus, father of Caracalla, against the Britons from AD 208 onwards, in which Caracalla himself participated, or Caracalla's expedition to Raetia and Germania in AD 213. Nor can we rule out the possibility that the theme of Germanic (or British) wars was found in only one of the two 'palaestras', specifically the north-western one, since the reliefs with 'Northern' weapons

68 ai Musei Vaticani, queste terrazze erano sorrette da una seconda fila di colonne – queste con i fusti scanalati di marmi colorati e sormontati da capitelli compositi.

Oltre a questi elementi, che sono tutti componenti dell'architettura del primo livello, ci sono pervenuti i resti di una seconda trabeazione, anch'essa in marmo pentelico e, con i suoi ornamenti caratteristici, una 'variazione sul tema' di quella descritta, ma di un quarto più bassa. Sia per la qualità del marmo, adoperato in questo edificio unicamente nell'ambito delle 'palestre', sia per alcuni motivi della decorazione che compaiono solo in questi ambienti, non possono che far parte dello stesso contesto.

I pezzi meglio conservati sono un architrave a due sole fasce, separate tra di loro e dal fregio a girali di acanto, conservato solo in minima parte, dagli stessi ornamenti già presenti nell'architrave più grande a tre fasce, ma con una diversa disposizione. E poi tre frammenti della cornice di cui uno, della parte superiore, di un blocco originale in marmo pentelico, mentre gli altri due sono ascrivibili ad una fase di restauro degli anni settanta del III secolo, di cui sappiamo da una fonte letteraria del IV secolo d.C. Sono tutti e due scolpiti in un marmo bluastro a grana molto grossa, totalmente differente da quello pentelico, e interessanti perché dimostrano che queste cornici erano lavorate su due lati, interno ed esterno. Il frammento più grande conserva sia gli ornamenti inferiori che mancano al pezzo originale, sia un grande girale d'acanto sull'altro lato – paragonabile a quelli dei fregi, ma molto consumato – di cui il secondo frammento mostra una porzione da cui si intuisce la qualità eccellente di queste copie.

Considerando l'insieme degli indizi che – oltre alla qualità del marmo e gli ornamenti caratteristici – sono le cornici lavorate su due lati, le misure e, non ultimo, la disposizione planimetrica delle 'palestre' e delle sale attigue – si arriva alla conclusione che questa trabeazione

were found there. As a hypothesis, we might imagine that in the other, south-eastern, palaestra, there were scenes depicting Septimius Severus' campaigns against the Parthians in AD 197/198, in which the young Caracalla participated, and in the course of which he was elevated to *Augustus*.

Thus we come face to face with a series of more or less obvious symbols of, and explicit references to, the emperor, extending from the column bases to the level of the terraces above the portico vaults. Alongside the large semicircular exedras, where the famous mosaics with figures of athletes (now in the Vatican Museums) were found, the terraces were supported by a second row of columns. These had fluted drums of coloured marble and were topped with composite capitals.

Besides these elements, all of which relate to the architecture of the ground floor, remains of a second entablature have been found. This was also of Pentelic marble and its distinctive ornamentation shows that it was a 'variation on a theme' of the decoration already described, but reduced in height by a quarter. Both the quality of the marble, in this building used only in the 'palaestra' areas, and the recurrence of several decorative motifs which also appear just in those areas, imply that they came from the same context.

The best-preserved pieces include an architrave of just two bands. These are separated from one another and from the acanthus spiral frieze (only a small part of which is preserved), by the same ornamental motifs already seen on the larger, three-band architrave, but in a different arrangement. There are also three fragments of a cornice, one of which, from the upper part, is an original block of Pentelic marble while the other two relate to restoration in the AD 270s, which we know about from a 4th century AD literary source. Both are carved from a coarse-grained bluish marble, which is completely different to the Pentelic one. Their main interest lies in the fact that they reveal that the cornices were worked on both sides, inner and outer. The largest fragment preserves both the lower details missing from the orig-

Capitello figurato
proveniente
dal *frigidarium*, Venere.

Figured capital
from the *frigidarium*,
Venus.

70 doveva far parte di un secondo ordine di colonne (o di pilastri) che poteva solamente alzarsi sul livello delle terrazze, in corrispondenza delle colonne sottostanti. Questa proposta è suffragata anche dalla lavorazione del blocco finale del rilievo con la sua cornice: nel lato superiore si nota l'incavo per una 'catena', una spranga che, posata sotto il mosaico delle terrazze, fissava il blocco al muro esterno della 'palestra', e più precisamente a un blocco di travertino appositamente ritagliato. In queste terme ne rimangono solamente le impronte nel muro – delle grandi cavità dove i travertini sono stati strappati – mentre alcuni di questi blocchi di ancoraggio sono ancora conservati in posizione analoga nelle terme di Diocleziano. Il peso di una colonna o un pilastro conferiva una maggiore stabilità a questa costruzione complessa; tanto più quando questi sostegni reggevano a loro volta un tetto che copriva lo spazio interno delle 'palestre', spazio che per vari motivi non poteva essere un cortile a cielo aperto, destinato agli esercizi ginnici, come si riteneva fino ad anni assai recenti. Alcuni degli argomenti per la copertura sono la mancanza di uno scarico delle acque adeguato, presente invece sulle terrazze del piano superiore, che erano a cielo aperto; la pavimentazione con mosaici colorati, riservati, a Roma, ad ambienti chiusi; l'enorme dispersione di calore difficilmente conciliabile con un edificio termale e infine il carattere della decorazione architettonica che, soprattutto con le basi di colonna decorate e i capitelli figurati, è del tipo 'da interno'.

Ci troviamo dunque di fronte a delle grandi sale a due piani, circondate su tre lati, al livello del piano superiore, da terrazze a cielo aperto, le *porticus* della tradizione antica; almeno così le definisce la *chronica* dell'anno 354 che ci parla del loro restauro ai tempi di Aureliano, dopo un incendio. Con la ricca decorazione, con i rilievi di armi e storici – paragonabili, anche nella disposizione, a una Colonna di Traiano 'srotolata' – questi ambienti potrebbero evocare non solo i fasti del palazzo

inal piece and a large acanthus spiral on the other side, similar to those on the friezes, but unfortunately very worn. Part of the acanthus spiral can be seen on the second fragment, revealing the high quality of these copies.

Considering all the evidence – besides the quality of the marble and the distinctive ornamentation there are the cornices worked on both sides, the scale and, not least, the layout of the 'palaestras' and adjoining rooms – one might conclude that this entablature was part of a second order of columns (or pillars) that arose from the level of the terraces, corresponding with the columns beneath. This idea is supported by the manner in which the final block of the relief and its cornice were worked. On its upper face can be seen the groove for a 'chain', a long bar that, placed under the mosaic of the terrace, secured the block to the external wall of the 'palaestra', or more specifically to a specially cut travertine block. In these baths, only the marks in the wall – great cavities where the travertine was ripped out – remain, but several such anchor blocks are still preserved in analogous positions in the Baths of Diocletian. The weight of a column or a pillar could only confer greater stability to this complex construction; all the more so given that these supports in turn held up a roof covering the interior space of the 'palaestras'. There are a number of reasons why these spaces could not have been open-air courtyards used for gymnastic exercise, as was believed until fairly recently. To mention just a few of the arguments in support of these spaces being roofed, they lack adequate drainage for water, which instead was located on the terraces of the upper level which was open to the sky; floors with coloured mosaics were reserved in Rome for enclosed rooms; it is hard to reconcile such an enormous loss of heat with its function as a bath building; and, not least, the character of the architectural decoration, particularly the decorated column bases and figured capitals, which are 'interior' types.

Now we find ourselves facing large, two-storey halls, flanked on three sides on the upper floor level by open-air terraces, re-

Capitello figurato
proveniente dal
frigidarium, ninfa.

Figured capital
from the *frigidarium*,
nymph.

72 imperiale, di cui abbiamo già detto, ma anche l'impatto ideologico di un Foro imperiale come quello di Traiano, inaugurato nel 113 d.C., ultimo a Roma di una serie cominciata con Cesare nel I secolo a.C.

Tra gli altri materiali esposti spiccano i noti capitelli figurati che vennero alla luce nel *frigidarium* dell'edificio termale. Due di loro, con figure di divinità sui quattro lati, formavano una coppia che ornava il passaggio dal *frigidarium* alla *natatio* sull'asse centrale, nel punto focale di tutto l'edificio. I due capitelli poggiavano su colonne di porfido rosso, il 'marmo' più costoso in uso presso i romani, cavato nel deserto egiziano orientale. Dello stesso materiale erano le colonne che separavano le quattro vasche nei grandi recessi laterali dalla sala stessa, e il *labrum* (un grande catino su alto piede alimentato da una fontanella) i cui resti sono venuti alla luce nel nicchione centrale sul lato della *natatio*, proprio davanti alle due colonne.

Il primo dei capitelli mostra sul lato rivolto verso il *frigidarium* la figura di Ercole in riposo, che ripete in formato ridotto il cd. Ercole Latino collocato nell'androne della Reggia di Caserta, che a sua volta è una variante del famoso Ercole Farnese (Museo Archeologico Nazionale di Napoli); tutt'e due le statue furono rinvenute negli intercolumni laterali tra il *frigidarium* e una delle sale adiacenti che comunicano con le 'palestre' durante gli scavi eseguiti per conto di Paolo III (papa 1524-1549), ed entrarono poi nella collezione Farnese. Sul lato anteriore del secondo capitello, accanto a Ercole, troviamo la figura di un giovane Bacco, riconoscibile dagli attributi a lui propri: oltre alle lunghe ciocche che gli scendono sul petto, la pelle di cerbiatto annodata sulla spalla sinistra e un *kantharos*, il calice biansato per il vino, nella mano destra. Anche per questa figura si conoscono dei modelli a tutto tondo, tra cui una statua nel Museo Nazionale Romano, ma nessuno di loro proviene da queste terme. Tuttavia l'ipotesi che negli intercolumni dell'altro lato

ferred to as *porticus* in antiquity – at least this is how the *Chronica* of AD 354 described them when referring to their restoration after a fire in the Aurelianic period. The rich decor of these rooms, with its reliefs of weapons and historical events, can be compared, even in their arrangement, to an 'unrolled' version of Trajan's Column. They must have evoked not just the magnificence of the imperial palace, as already noted, but perhaps equally, or even more so, the ideological impact of an imperial Forum like that of Trajan, inaugurated in AD 113, the last at Rome in a series of Fora begun by Caesar in the 1st century BC.

Among the other objects on display, the well-known figured capitals that were uncovered in the *frigidarium* of the bath building stand out. Two of them have figures depicting gods on four sides and form a pair that adorned the passageway from the *frigidarium* to the *natatio* on the central axis, and thus were the focal point of the entire building. The two capitals rested on red porphyry columns, the most expensive 'marble' used by the Romans, quarried at Gebel Dokhan in the Egyptian Eastern Desert, 55 km west of Hurghada. The columns separating the four basins in the large side recesses of the same room were made of the same material, as was the *labrum* – a large basin on high feet, fed by a small fountain, the remains of which were found in the central niche to the side of the *natatio*, right in front of the two columns discussed here.

The first capital depicts a figure of Hercules in repose on the side facing the *frigidarium*. This figure has the same form, albeit on a smaller scale, as the so-called Hercules Latinus located in the entrance hall of the Palace of Caserta, itself a variant of the famous Farnese Hercules at the Museo Archeologico Nazionale di Napoli. Both these statues were found in the flanking intercolumniations between the *frigidarium* and one of the adjacent halls leading to the 'palaestras' during excavations undertaken on behalf of Paul III (Pope from 1524 to 1549). They then came into the Farnese Collection along with a number of other sculptures excavated at the same time. On the front of the second capital, near

Capitello figurato   Figured capital
con geni proveniente   with *genii*
dal *frigidarium*.   from the *frigidarium*.

74

del *frigidarium*, di fronte alle due statue colossali di Ercole, fossero sistemate due statue – sicuramente anch'esse colossali – di Bacco, appare seducente. Per capire meglio il programma iconografico dei due capitelli va detto che la scelta di queste due divinità, una accanto all'altra sul lato più in vista rivolto verso la grande sala che era il centro di tutto l'edificio, non era per niente casuale. Si tratta dei numi tutelari di Leptis Magna, la città libica che diede i natali a Settimio Severo, e della dinastia dei Severi. Sappiamo inoltre che Caracalla venne assimilato sia a Ercole, sia a Bacco nella versione di un *Neos Dionysos*, un nuovo Dioniso, l'equivalente greco di Bacco. Per il visitatore antico l'allusione doveva essere inequivocabile: anche se indirettamente, si trovava di fronte alla duplice immagine dell'imperatore.

La seconda coppia, rivolta verso la *natatio*, è formata da Marte sul capitello con Bacco e da una figura femminile su quello di Ercole. Marte ripete una variante del tipo statuario conosciuto come "Ares Borghese" (dalla collezione in cui si trovava la replica più importante prima di approdare al Louvre ai tempi di Napoleone). Mostra il dio della guerra giovane, nudo, con la spada a tracolla e l'elmo in testa; con la mano destra reggeva una lancia appoggiata alla spalla. La sua compagna era Venere, la dea dell'amore, che dobbiamo riconoscere nella figura femminile dell'altro capitello, nonostante qui sia rappresentata in una tipologia difficilmente inquadrabile: vestita di una leggera veste annodata sotto il seno e avvolta in un mantello dalle pieghe mosse, sembra accennare un passo di danza. La coppia Marte-Venere, conosciuta come tale già nella mitologia greca, a Roma era vista anche come garante della *concordia* e, di conseguenza, della prosperità del popolo romano.

Sui lati sinistro e destro del capitello con Bacco sono rappresentate due personificazioni: *Virtus* e *Fortuna*, la virtù e la fortuna che in antico contavano come doti indispensabili dell'imperatore. *Virtus* è vestita da

Hercules, we find the figure of a young Bacchus, recognisable from his attributes. Besides the long locks of hair that fall onto his chest, a deerskin is knotted on his left shoulder and he holds a *kantharos*, a two-handled wine cup in his right hand. This figure is also known from models sculpted in the round, such as a statue in the Museo Nazionale Romano, but none of them come from these baths. However, the hypothesis that the intercolumniations on the other side of the *frigidarium*, opposite the two colossal statues of Hercules, housed two statues of Bacchus – undoubtedly also colossal – is an attractive one. To better understand the iconographic programme of the two capitals it should be noted that the choice of these two gods, next to one another on the most visible side facing the great hall that was at the centre of the building, was not random. They were the tutelary gods of Leptis Magna, the Libyan city which was the birthplace of Septimius Severus and so of the Severan dynasty. Furthermore, we know that Caracalla was assimilated both with Hercules and Bacchus in his guise as *Neos Dionysos*, 'New Dionysos', the Greek equivalent of Bacchus. This allusion must have been clear to the ancient visitor, even if indirectly, he found himself confronted with the double image of the emperor.

The second pair, facing the *natatio*, are Mars on the capital with Bacchus, and a female figure on the one with Hercules. Mars is a variant of a statue type known as the 'Borghese Ares', named for the collection which held the most important copy of the type before it was moved to the Louvre at the time of Napoleon. It depicts the young god of war, nude, the sword-belt carried over his shoulder and a helmet on his head. In his right hand he holds a spear resting on his shoulder. His companion was Venus, the goddess of love, who must be the female figure on the other capital, even though here she is depicted in a form that is difficult to equate to any known type. She wears a light undergarment knotted under her bust and is wrapped in a cloak whose moving folds seem to suggest a dance step. The couple of Mars and Venus is known from

76 Amazzone con la tunica corta che lascia scoperto il seno destro, i piedi calzati da stivali e l'elmo in testa (che è andata dispersa). La mano destra reggeva una lancia, la sinistra teneva una corta spada appoggiata alla spalla. È quest'ultimo dettaglio che, come testimoniano le immagini sulle monete coniate anche in epoca severiana, distingue *Virtus* da Roma, che per il resto viene raffigurata nello stesso identico modo. *Fortuna*, sul lato opposto, è caratterizzata dai suoi attributi: la cornucopia nel braccio sinistro e il remo appoggiato sul globo nella destra – la cornucopia simbolo di fertilità e il remo che governa il corso del mondo rappresentato dal globo.

Sulle facce laterali del capitello con Ercole infine troviamo due ninfe, divinità dell'acqua che non possono mancare in un edificio balneare; conosciamo svariate statue di questo tipo, spesso provenienti da complessi termali e dotate di una tubatura nascosta, che fa cadere l'acqua dalle grandi conchiglie che reggono davanti al corpo in un bacino sottostante. Sicuramente erano presenti anche in queste terme, forse nello stesso *frigidarium*, e probabilmente in più di un solo esemplare.

Tralasciando le due ninfe, ci troviamo di fronte a un complesso programma di statue, copiate sui due capitelli, di alto contenuto ideologico: dal lato 'principale' del *frigidarium* l'imperatore nella duplice veste dei *dii patrii* della sua famiglia, sul lato rivolto verso la *natatio* Marte e Venere che, sin dalla prima età imperiale, equivalgono a due numi tutelari dell'impero romano, e lateralmente le personificazioni della virtù e della fortuna che si completano a vicenda e che erano considerate tra le qualità fondamentali per la riuscita non solo di ogni impresa militare, ma anche di un governo efficace e proficuo.

Per esaltare il fasto di questo *ensemble* con le colonne di porfido e con il suo elaborato programma iconografico, da cui la vista correva alla monumentale facciata-ninfeo della *natatio*, anche la trabeazione – alta 2,2 metri – che poggiava sulle colonne con i capitelli appena

Greek mythology, and at Rome was seen as a guarantee of *Concordia*, and consequently of the prosperity of the Roman people.

On the left and right sides of the capital depicting Bacchus are two personifications: *Virtus* and *Fortuna*, Virtue and Fortune, who in antiquity were the two indispensible endowments of the emperor. Virtus is dressed as an Amazon with a short tunic that leaves her right breast exposed, boots on her feet and a helmet on her head (which has been lost). In her right hand she holds a spear, in her left a short sword resting on her shoulder. It is this final detail, as shown on coins-types still minted in the Severan period, that distinguished *Virtus* from *Roma*, since in all other respects they are depicted in the same way. Fortune, on the other side, in contrast is unmistakable from her attributes, the cornucopia in her left arm and the oar resting on the globe in her right. The cornucopia was the symbol of fertility and opulence, and the oar guides the course of the world, represented by the globe.

Finally, on the sides of the capital depicting Hercules there are two nymphs, the goddesses of water who had to be present in a bath building. We know various statues of this type, often from bath complexes and fitted with a hidden pipe used to spill water from the large shells held out in front of them into a basin beneath. Such statues must have been present in these baths, perhaps in the *frigidarium* itself, and probably there was more than one.

Leaving aside the two nymphs, we are faced with a complex programme of statues, copied on the two capitals, with a high level of ideological content. On the 'principal' side of the *frigidarium* the emperor is depicted in the double guise of the *dii patrii* of his family, with Mars and Venus on the side facing the natatio. From the early imperial period these two were in effect the two tutelary deities of the Roman empire. To the sides were the personifications of Virtue and Fortune which complemented each other and were considered fundamental qualities required for the success of any military undertaking, and also of for efficient and prosperous government.

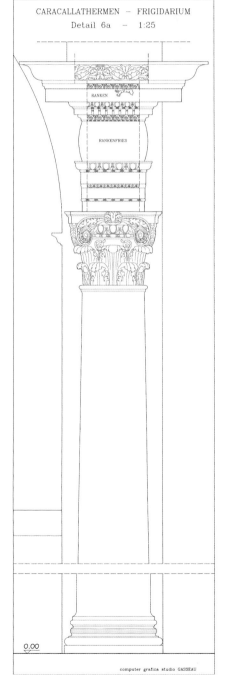

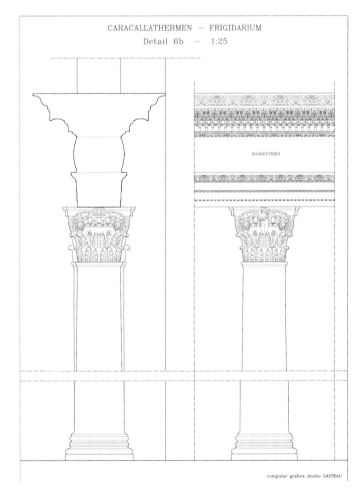

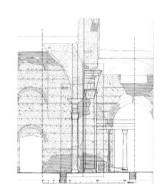

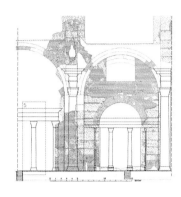

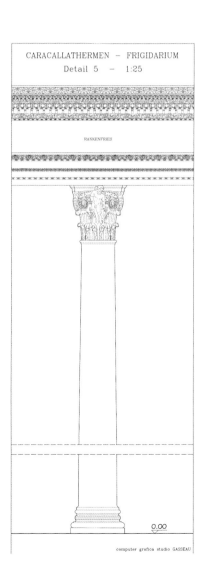

78 descritti e che correva da un muro all'altro sopra il passaggio alla *natatio*, era scolpita in un marmo particolare e, per quanto ne sappiamo, altrimenti mai usato per architravi e cornici di tale dimensioni: il cd. pavonazzetto, un marmo bianco con venature e macchie rosso scuro.

Per determinare la posizione originale del terzo capitello figurato ci viene in aiuto una fotografia degli anni in cui i tre capitelli vennero portati alla luce (1866-1869). In essa si vede il capitello capovolto nella parte orientale del *frigidarium*, così com'era caduto forse in seguito a un terremoto – di fronte alle due colonne di granito grigio, anche questo proveniente dall'Egitto orientale, che separavano la grande sala dal vano adiacente e a cui apparteneva il capitello, uno di quattro sicuramente simili o quasi identici, che in origine sormontavano le quattro colonne ai lati corti del *frigidarium*. Mostra, sui due lati opposti che dovevano essere rivolti l'uno verso il *frigidarium*, l'altro verso la sala adiacente, due amorini o geni con festoni in mano, il primo di frutti, il secondo di foglie di quercia. Quest'ultimo, data la superficie del genio non del tutto rifinita, doveva essere meno visibile ed era perciò probabilmente rivolto verso la sala adiacente, che era anche meno illuminata del *frigidarium* con le sue grandi finestre. Il genio con il festone di frutti che, di conseguenza, doveva guardare verso questa sala, ricorda le figure delle stagioni di tanti sarcofagi più o meno coevi, anch'esse del tipo dei geni o degli amorini, ma senza le ali del dio dell'amore e contrassegnati dagli attributi correlati alle quattro stagioni dell'anno quali fiori, grano, frutti, ecc. L'affinità iconografica e il fatto che questo gruppo di capitelli contasse quattro esemplari fanno intravedere la possibilità che vi fossero effettivamente rappresentate le quattro stagioni che, in antico, potevano simboleggiare anche la *felicitas temporum*, un'era felice assicurata, in questo caso, dalla magnanimità e munificenza dell'imperatore; questo potrebbe essere il messaggio che si intendeva

To enhance the splendour of this *ensemble* with its porphyry columns and elaborate iconographic programme, with a view as far as the monumental nymphaeum-facade of the *natatio*, the entablature – 2.2 m high and resting on columns with the capitals just described, running from one wall to the other above the *natatio*, was also carved from a special marble that, as far as we know, was never otherwise used for architraves or cornices of such dimensions. This was *pavonazzetto*, a white marble with dark red veins and spots, which was and still is carved in the vicinity of Afyon in central-western Anatolia.

A photograph from 1866 – 1869, when the three capitals were discovered, helps us determine the original position of the third figured capital. In this photograph, the capital can be seen upside-down in the eastern part of the *frigidarium*, as it had fallen there, perhaps after an earthquake. It lies in front of the two grey granite columns, also from eastern Egypt, that separated the great hall from the adjacent room. The capital belonged to one of these columns. It was one of four similar or even near-identical capitals that originally surmounted the four columns on the short sides of the *frigidarium*. On its two opposite sides, one of which must have faced the *frigidarium*, the other the adjacent room, it depicts two cupids or *genii* holding festoons in their hands, the first of fruit, the second of oak leaves.

Given the unfinished surface of the *genius*, the second of these, must have been less visible and so probably faced the adjacent room which was less well-lit than the *frigidarium* which had large windows. The *genius* with the festoons of fruit which presumably faced the *frigidarium*, resembles figures of the seasons found on many more-or-less contemporary sarcophagi. These figures were also of the *genius* or cupid type but lacked the young god of love's wings and had attributes referring to the four seasons of the year, such as flowers, grain, fruit and so on. This iconographic similarity, and the fact that there were four examples in this group of capitals leads to the possibility, albeit hypothetical, that they repre-

CARACALLATHERMEN – NATATIO
Detail 9 – 1:25

computer grafica studio GASSEAU

CARACALLATHERMEN – NATATIO
Detail 10 – 1:25

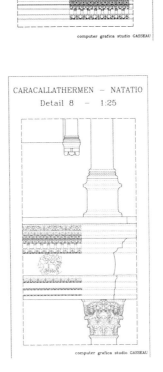

computer grafica studio GASSEAU

CARACALLATHERMEN – NATATIO
Detail 7b – 1:25

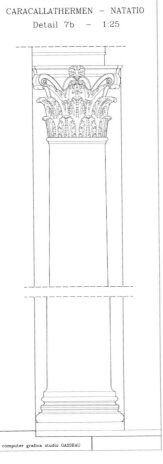

computer grafica studio GASSEAU

CARACALLATHERMEN – NATATIO
Detail 7a – 1:25

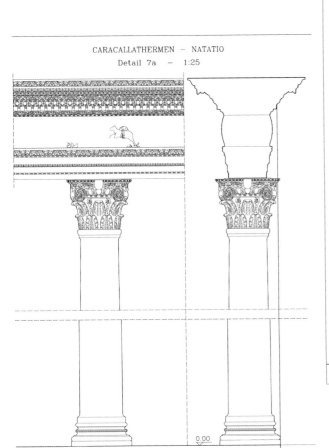

computer grafica studio GASSEA

CARACALLATHERMEN – NATATIO
Detail 8 – 1:25

computer grafica studio GASSEAU

80

trasmettere al pubblico che tra l'altro, grazie a tali virtù del regnante, frequentava gratuitamente le splendide terme.

Non sorprende che le allusioni più o meno palesi al committente imperiale non fossero confinate alle 'palestre' e al *frigidarium*; ne è testimone un piccolo capitello figurato del secondo ordine di colonne che contornavano le nicchie nella monumentale facciata della *natatio*: sul lato anteriore raffigura di nuovo Bacco con la corona di vite in testa, il tirso appoggiato sulla spalla e una lunga veste cinta sul petto. Il tipo è quello del Dioniso nel trionfo indiano che spesso – tra l'altro su alcuni sarcofagi romani coevi – lo presenta come auriga, caratterizzato da un abbigliamento identico a quello del capitello. Anche la figura sul lato destro, un satiro con un cesto sulla spalla sinistra e un bastone nella destra, fa parte dell'ambiente dionisiaco; la sua tipologia è una variante del "Fauno con cesto di frutta" dei Musei Capitolini, rinvenuto negli Horti Lamiani sull'Esquilino. Colpisce, confrontando questo capitello con quelli del *frigidarium*, la sua lavorazione decisamente rozza. Non è però da imputare a una mancata abilità dello scalpellino, ma al fatto che il pezzo era collocato a un'altezza di 17 metri, alla quale dettagli più elaborati o una maggiore plasticità della superficie non sarebbero più stati visibili. Purtroppo questo è l'unico capitello della *natatio* (ne contava 60) sfuggito agli "scarpellini" e "marmorari" che, dal Medioevo in poi, sfruttarono le Terme di Caracalla – come tutti i monumenti antichi di Roma – come cave di pietra.

Gunhild Jenewein
Istituto Storico Austriaco a Roma

sented the four seasons. In antiquity the four seasons could also symbolise *felicitas temporum*, an era of good fortune guaranteed, in this case, by the magnanimity and munificence of the emperor. At least, this may have been the message intended for the members of the public who among other things, thanks to these virtues of their ruler, frequented these splendid baths free of charge.

Unsurprisingly, the more or less clear allusions to the imperial patron were not limited to the 'palaestras' and the *frigidarium*. A small figured capital provides evidence for the second order of columns that surrounded the niches of the *natatio*'s monumental facade. On the front it depicts Bacchus again, with a crown of vines on his head, his thyrsus propped against his shoulder and a long robe belted across his chest. This is the "Indian Triumph of Dionysus" type which often – including on several contemporary Roman sarcophagi – depicts him as a charioteer, characterised by clothing identical to that shown on the capital. The figure on the right, a satyr with a basket on his left shoulder and a stick in his right, is also part of the Dionysiac theme. He is a version of the "Faun with Basket of Fruit" now in the Musei Capitolini, found in the Horti Lamiani on the Esquiline Hill. What is striking, perhaps, when comparing this capital with those of the *frigidarium*, is its rough workmanship. This is not due to lack of skill by the stonemason, but simply due to the fact that the piece was located at a height of seventeen metres, where more elaborate detail or greater surface modelling would not have been visible, making the different ornamental and figurative details illegible. Unfortunately, this is the only capital (including large and small ones, there were sixty of them) from the *natatio* to have escaped the 'cutters' and 'marble-workers' who in the Medieval period used the Baths of Caracalla – like all the ancient monuments of Rome – as a stone quarry.

Gunhild Jenewein
Austrian Historical Institute, Rome

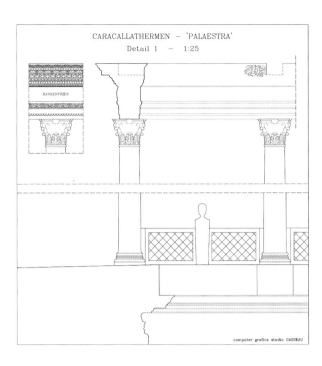

CARACALLATHERMEN – 'PALAESTRA'
Detail 1 – 1:25

RANKENFRIES

computer grafica studio GASSEAU

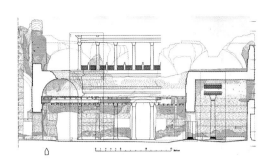

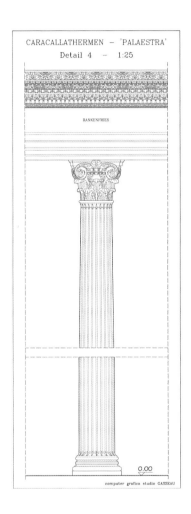

CARACALLATHERMEN – 'PALAESTRA'
Detail 4 – 1:25

RANKENFRIES

0.00

computer grafica studio GASSEAU

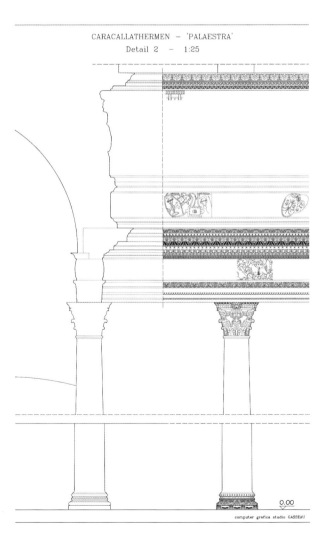

CARACALLATHERMEN – 'PALAESTRA'
Detail 2 – 1:25

0.00

computer grafica studio GASSEAU

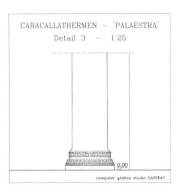

CARACALLATHERMEN – 'PALAESTRA'
Detail 3 – 1:25

0.00

computer grafica studio GASSEAU

La decorazione e le opere d'arte

Le Terme di Caracalla, seppur note come "ville della plebe" perché collocate in una zona di Roma popolare come la *regio Aventina*, nei pressi del quartiere commerciale del Testaccio, erano, a detta degli autori antichi, *magnificentissimas*. La loro ricca decorazione consisteva in pavimenti di marmi colorati orientali, mosaici di pasta vitrea e marmi alle pareti, stucchi dipinti e centinaia di statue sia nelle nicchie delle pareti degli ambienti, sia nelle sale più importanti e nei giardini. Alcune statue erano in bronzo, ma la maggior parte erano di marmo dipinto e dovevano costituire un colpo d'occhio abbagliante nella già ricca policromia delle Terme. Esse hanno fornito importanti resti di scultura, nonostante molte delle statue siano finite nelle calcare medievali. ▶

Decoration and works of art

Although known as the 'villas of the plebs' because they were set in a popular part of Rome, the *Regio Aventina*, near the Testaccio commercial district, the Baths of Caracalla were, in the words of ancient authors, *magnificentissimas*. Their rich decoration included pavements of coloured eastern marbles, glass paste mosaics and marble wall veneer, painted stucco and hundreds of statues set both in wall niches in the rooms, and in the most important halls and the gardens. Some statues were made of bronze, but the majority were of painted marble and must have been an eye-catching addition to the already rich colour scheme of the Baths. They have given us important sculptural remains, despite the fact that many of the statues ended up in medieval lime kilns. ▶

Statua colossale
di Ercole tipo Farnese
Pitti proveniente dal
frigidarium. Napoli,
Museo Archeologico
Nazionale.

Colossal statue
of Hercules, Farnese
Pitti type, from the
frigidarium. Naples,
Museo Archeologico
Nazionale.

84

La prima raccolta sistematica delle opere scultoree fu iniziata da papa Paolo III Farnese nel 1545-1547, durante gli sterri compiuti all'"Antoniana" per decorare il suo nuovo palazzo.

Grande eco ebbe il ritrovamento, nella palestra orientale, del Toro Farnese, il famoso gruppo colossale ricavato da un unico blocco di marmo, nel quale è rappresentato il supplizio di Dirce legata al toro da Anfione e Zeto per vendicare i torti da lei arrecati alla madre Antiope, che assiste alla scena. Date le proporzioni colossali, il gruppo fu collocato nel cortile di Palazzo Farnese, che affacciava su via Giulia, e non è chiaro se subisse interventi di adattamento e di trasformazione (forse in fontana) già all'epoca del ritrovamento. Nel 1788 lasciò definitivamente Roma per Napoli, insieme a molta parte della collezione Farnese, dote dell'ultima erede della famiglia, Elisabetta, andata in sposa al re di Spagna Filippo V e da lei trasmessa al figlio Carlo di Borbone, re di Napoli. Esposto nella Villa Reale di Chiaia, fu trasferito nel 1826 nel Museo Archeologico Nazionale di Napoli, dove è tuttora conservato insieme agli altri capolavori provenienti dalle nostre Terme; fra questi il celebre Ercole colossale in riposo proveniente dal *frigidarium*, firmato sul basamento da Glykon, uno scultore ateniese attivo all'inizio del III secolo d.C. La fama del tipo statuario è dimostrata dalla diffusione di copie di ogni dimensione, dalla nostra (oltre 3 metri), alle terrecotte di pochi centimetri. Un altro Ercole di grandi dimensioni fu trovato nel *frigidarium* delle Terme, il cosiddetto Ercole Latino; dato per disperso, fu poi riconosciuto nella grande statua conservata nella Reggia di Caserta. Ercole era molto amato dai Severi e molto presente nelle raffigurazioni delle Terme: in uno dei più famosi capitelli (cfr. il testo di G. Jenewein) figurati dell'antichità, il semidio è rappresentato in posizione di riposo appoggiato sulla clava. In tempi diversi furono recuperati nelle Terme altri gruppi famosi, come quello di Atreo con Tieste, statue di Minerva, di Venere, busti di personaggi della famiglia

The first systematic collection of sculptural works was started by Pope Paul III Farnese in 1545 – 1547, in the course of excavations undertaken in the 'Antoniana' to decorate his new palace.

The discovery of the Farnese Bull had a major impact. This was the famous colossal group carved from a single marble block depicting the punishment of Dirce, tied to the bull by Amphion and Zethus to avenge the wrongs done to their mother Antiope, who is present in the scene. Given its colossal size, the group was set in the courtyard of the Farnese Palace, on Via Giulia. It is not clear if it underwent adaptation or transformation (perhaps into a fountain) at the time of its discovery. In 1788 it left Rome for Naples, together with the greater part of the Farnese Collection. It was the dowry of Elisabeth, the last heir of the Farnese family, who married Philip V, the king of Spain, and she gave the collection to her son Charles of Bourbon, King of Naples. It was put on display in the Royal Villa of Chiaia, and then in 1826 transferred to the Museo Archeologico Nazionale di Napoli, where it remains, along with other masterworks from the Baths of Caracalla, such as the famous colossal 'Hercules in Repose' which came from the *frigidarium*. This work was signed on its base by Glykon, an Athenian sculptor active at the beginning of the 3rd century AD. The fame of this statue type can be seen from the numerous copies of different sizes, from our example (over 3 metres high), to terracotta versions only a few centimetres high. Another huge Hercules statue was found in the *frigidarium* of the Baths, the so-called Latin Hercules. It was reported missing, but was later recognised as the great statue preserved in the Palace of Caserta. Hercules was popular with the Severans and was a common figure in the decoration of the Baths. In one of the most famous capitals carved in antiquity (see the text by G. Jenewein), the demi-god is depicted in repose, leaning on his club. At different times other famous groups were recovered from the Baths, such as that of Atreus with Thyestes, statues of Minerva and

86 imperiale e numerosi frammenti architettonici, fra cui le vasche ora nel cortile del Belvedere in Vaticano e i due splendidi bacini di granito grigio, provenienti anch'essi dal *frigidarium* e riutilizzati dal Rainaldi come fontane in piazza Farnese. Sempre in granito era la colonna proveniente dalla *natatio* e portata a Firenze nel 1563, dove fu eretta da Cosimo I de' Medici in piazza Santa Trìnita, dove ancora si trova.

Una parte cospicua dell'apparato decorativo era costituita dalle statue nelle nicchie, presenti nelle pareti di quasi tutti gli ambienti tranne quelli più caldi, e che sono state calcolate in più di 150; una gran parte deve essere finita nelle collezioni museali di tutta Europa. Sicuramente in una nicchia doveva essere collocata la statua di Artemide cacciatrice, acefala, rinvenuta nei sotterranei nel 1996; capovolta, era stata usata come basolo in un restauro tardo delle gallerie di servizio, probabilmente del V secolo d.C., dove accanto a basoli di selce sono visibili cornici di marmo e vari frammenti di decorazione architettonica. La statua ha un panneggio molto inciso e accurato sul davanti e liscio, quasi non lavorato, sul dorso: segno che era sicuramente destinata a una visione solo frontale ed era stata concepita proprio per l'esposizione in una nicchia delle Terme. La statua è esposta nell'Aula Ottagona delle Terme di Diocleziano, insieme ad altri bei pezzi provenienti dalle nostre Terme.

Di tutta la decorazione scultorea e architettonica dell'edificio restano nei magazzini sotterranei del monumento circa 2.600 frammenti, fra i quali pezzi di grande interesse come i capitelli figurati dal *frigidarium*, quelli con le aquile e i fulmini dalle palestre, parti del fregio con le armi sempre dalle palestre, basi, colonne, cornici. Il marmo era di numerose qualità: marmo bianco greco (soprattutto proconnesio, ma anche pario, tasio e docimeno) e lunense, graniti rosa e grigi, porfido, serpentino, giallo antico, pavonazzetto, cipollino e molte altre varietà ancora (cfr. il testo di G. Jenewein).

Venus, busts of members of the imperial family and many architectural fragments, including the basins now in the Belvedere courtyard of the Vatican and the two splendid grey granite basins, also found in the *frigidarium*, which were reused by Rainaldi as fountains in Piazza Farnese. The columns from the *natatio*, *also made of granite*, were taken to Florence in 1563 and set up by Cosimo I de' Medici in Piazza Santa Trìnita, where they remain today.

A significant part of the decoration was made up of the statues in the niches, set in the walls of almost all the rooms except the hottest ones. There were more than 150, and many of them ended up in museum collections throughout Europe. The headless statue of Artemis the huntress, found in the underground tunnels in 1996, must have been located in a niche; upside-down, it had been used as a paving slab for a late restoration in the service tunnels, probably in the 5th century AD, where marble cornices and different fragments of architectural decoration were found next to flint paving slabs. The statue is finely incised on the front, but smooth, almost unworked, on its back: this is an indication that it was meant to be seen from the front and thus was intended to be displayed in one of the niches in the Baths. The statue is now on display in the Octagonal Hall of the Baths of Diocletian, together with other beautiful pieces from the Baths of Caracalla.

About 2,600 fragments of all the sculptural and architectural decoration of the building remain in the underground storerooms of the monument. Some of these are pieces of great interest, such as the figured capitals of the *frigidarium*, the capitals with eagles and lightning bolts from the palaestras, parts of the frieze with weapons, also from the palaestras, bases, columns, and cornices. The marble used was of different quality. There was Greek white marble (Proconnesian, in particular, but also Parian, Thasian and Docimium), Luna, pink and grey granite, green porphyry, Numidian yellow, Phrygian purple, Carystian green, and many other varieties (see the text by G. Jenewein).

I pavimenti

I pavimenti marmorei e i mosaici che decoravano le Terme costituiscono uno dei più completi complessi decorativi esistenti a Roma, dove è difficile trovare superstite un repertorio così ampio e cronologicamente omogeneo. Riemersero durante gli scavi del conte Egidio di Velo (1824-1825) e furono documentati dal Blouet. I pavimenti del corpo centrale (*frigidarium*, *tepidarium*, *caldarium*) erano tutti in *opus sectile* marmoreo, del quale non rimane traccia tranne che per qualche frammento nel *frigidarium* e nel *caldarium*. In particolare il pavimento del *caldarium*, parzialmente conservato, presenta un disegno con lastre diseguali, riadattate e sistemate in modo rozzo. Vi si riconoscono grandi dischi di granito grigio, forse inseriti in quadrati più grandi, in uno schema decorativo simile a quello del Pantheon; ma la sistemazione giunta a noi è molto incerta e poco definita, per cui si può pensare a modifiche dell'originario pavimento marmoreo, forse in età costantiniana, quando il *caldarium* fu oggetto di un importante restauro con l'inserimento di un'abside nella pianta curva dell'ambiente; il restauro è testimoniato da un'iscrizione conservata nei sotterranei delle Terme. Sia i pavimenti delle palestre e delle stanze connesse, sia quelli dei vestiboli della *natatio* erano a mosaici di tessere di marmi colorati con grande uso della breccia serpentina e del giallo antico; i motivi decorativi, vari e originali, denotavano notevole gusto e ricchezza inventiva.

I mosaici delle palestre meritano un approfondimento speciale. Evidentemente le palestre delle Terme (come è stato dimostrato dallo studio di G. Jenewein) erano luoghi di particolare importanza per l'imperatore Caracalla e la sua dinastia, quasi i Fori Imperiali dei Severi (in particolare di Caracalla) a Roma: da cui lo sfarzo della decorazione. Il tappeto perimetrale è un magnifico motivo a squame bipartite, bianche e rosse, gialle e verdi. C'è l'uso del porfido, materiale costosissimo e difficile da lavorare, del giallo antico, della breccia serpentina, del

Flooring

The marble and mosaic floors that adorned the Baths form one of the most complete decorative ensembles in Rome, where it is difficult to find a surviving repertoire that is so vast and so chronologically homogeneous. These floors were uncovered during the excavations conducted by Count Egidio di Velo (1824-1825) and were recorded by Blouet. The floors of the central block (*frigidarium*, *tepidarium*, *caldarium*) were all in marble *opus sectile*, of which nothing remains besides a few fragments in the *frigidarium* and *caldarium*. The floor of the *caldarium* is partially preserved, and had a design of irregular slabs, altered and roughly arranged. Large discs of grey granite can be seen, perhaps set in larger squares in a decorative scheme similar to that of the Pantheon, but overall the arrangement is unclear today. This leads us to believe that the original marble floor was modified, perhaps in the Constantinian era, when the *caldarium* underwent important renovations, including the insertion of an apse in the curved plan of the room. This restoration is recorded in an inscription preserved in the underground tunnels of the Baths. The floors of the palaestras and connected rooms, as well as the vestibules of the *natatio* were mosaics of coloured marble tesserae, with particularly heavy use of green porphyry and Numidian yellow. Their decorative motifs were varied and original, revealing striking taste and rich inventiveness.

The mosaics of the palaestras deserve greater attention. Clearly the palaestras of the Baths (as demonstrated by G. Jenewein's study) were places of particular importance for the emperor Caracalla and his dynasty, and almost served as the Imperial Fora of the Severans (particularly Caracalla) at Rome, which explains the magnificence of the decoration. The flooring around the edges has a magnificent motif of bipartite scales in white, red, yellow and green. Porphyry, an extremely expensive and difficult to work material, is used, as is Numidian yellow, green porphyry, and

I mosaici policromi della palestra occidentale.

Polychrome mosaics from the western palaestra.

marmo bianco. Al centro dell'ambiente è visibile un altro motivo decorativo, a rettangoli con ellissi inscritte all'interno, il bordo costituito da spirali di girali d'acanto. Restaurati nel 2010, questi mosaici sono stati restituiti alla loro originaria policromia.

Nelle due absidi delle palestre furono rinvenuti, negli scavi del 1824, i celebri mosaici con gli atleti, trasferiti nel 1838 nel Museo del Palazzo Laterano e nel 1963 ai Musei Vaticani, dove, negli anni settanta, sono stati rimontati nel loro assetto originario e nella primitiva forma semicircolare. I pavimenti, bordati da una fascia nera, presentavano all'interno lo spazio suddiviso in pannelli rettangolari, quadrati e di forma irregolare: i primi contenevano figure di atleti o di giudici a grandezza naturale, i secondi busti di atleti di dimensioni maggiori del vero, i terzi figure di attrezzi o di premi atletici. Gli atleti si distinguono immediatamente dai giudici per la loro nudità e sono riconoscibili a seconda degli attributi come atleti vincitori con ramo di palma e corona, pugili, discoboli, lanciatori di giavellotto, lottatori. I giudici di gara indossano una lunga veste, hanno i capelli cortissimi e la barba e tengono in mano una palmetta, che fungeva da segnale. Tra gli attrezzi rappresentati negli spazi di risulta ricorrono i manubri e i rami di palma. La loro datazione è da attribuire alla prima fase dell'edificazione delle nostre magnifiche Terme, anche perché è ovvio che un ciclo così importante, nella aule che rappresentavano la celebrazione dell'imperatore, fosse concepito insieme al resto della decorazione originaria. L'esaltazione dell'atletica ben si colloca in un periodo nel quale questa era molto amata e anche praticata dagli stessi imperatori, in particolare da Alessandro Severo, al quale le fonti antiche attribuiscono una vera e propria passione per la palestra e per l'atletica.

Concludiamo la disamina dei mosaici delle palestre analizzando i pavimenti delle terrazze che vi si affacciavano. Oltre ai grandi frammenti di mosaici bianchi e neri visibili nelle palestre e appoggiati alle

white marble. At the centre of the room there is another decorative motif, rectangles with ellipses within them, bordered by acanthus spirals. These mosaics were restored in 2010 and their original colours were restored.

The famous mosaics of the athletes were found in the two apses of the palaestras during the excavations of 1824. In 1838 they were taken to the Museo del Palazzo Laterano and in 1963 to the Vatican Museums where, in the 1970s, they were reassembled into their original layout, in a basic semicircular shape. The floors, bordered by a black band, were subdivided into rectangular, square and irregular panels. The first depicted life-size figures of athletes or judges, the second larger than life busts of athletes, the third images of equipment or athletic prizes. The athletes are distinguished from the judges by their nudity, and can be recognised by their attributes as victors with palm branch and crown, boxers, discus-throwers, javelin-throwers and wrestlers. The judges wear long tunics, have very short hair and beards and hold a palm in their hands, which they used to signal the athletes. A variety of equipment is shown in the remaining spaces, including dumbbells and palm branches. The mosaics can be dated to the earliest building phases of the magnificent Baths, not least because it is obvious that such an important cycle, set in the halls celebrating the emperor, must have been conceived at the same time as the rest of the original decoration. The glorification of athletes is appropriate for period when athletics were very popular and even practised by emperors themselves, particularly Alexander Severus, to whom the ancient sources attribute a true passion for the palaestra and for athletics.

We can conclude our study of the palaestra mosaics by looking at the flooring of the terraces that overlooked the palaestra. Besides examining the large fragments of black and white mosaics visible in the palaestras and leaning against their walls, in the last few years it has been possible to use a mechanical crane

Mosaico con atleti dalle esedre delle palestre, particolare del discobolo. Roma, Musei Vaticani.
Mosaico con *thiasos* marino conservato sulla terrazza della palestra occidentale.
Abside della palestra orientale con i mosaici bianchi e neri delle terrazze appoggiati alle pareti.

Mosaic depicting athletes from the palaestra exedrae, detail of the discus-thrower. Rome, Musei Vaticani.
Mosaic depicting marine *thiasos*, preserved on the terrace of the western palaestra.
Apse in the eastern palaestra with black and white mosaics from the terraces leaning against the walls.

loro pareti, è stato possibile negli ultimi anni, grazie all'aiuto di un braccio elevatore, analizzare da vicino e vedere quanto di questi pavimenti è rimasto *in situ*. Il motivo decorativo era un corteo marino con nereidi, tritoni, eroti-aurighi, a figure nere su fondo bianco. La cornice del *thiasos* era composta da delfini ai lati di remi o di timoni; le loro code, che terminano a forma di foglia, sono annodate in coppia a tridenti, simboli del dio Nettuno. Un frammento rappresenta un erote che cavalca, in piedi, una coppia di mostri marini, con il braccio destro alzato per frustarli, mentre la mano sinistra tiene saldamente le redini: senz'altro la più notevole tra le rappresentazioni conservate dei mosaici superiori delle palestre.

I pavimenti degli *apodyteria*, gli spogliatoi, erano a tessere di mosaici bianchi e neri con motivi geometrici di volta in volta diversi; le tessere erano in selce e marmo palombino. L'aula centrale, più grande, era pavimentata con un motivo molto simile a quello a squame lanceolato delle palestre (pelte stilizzate), mentre le aule laterali avevano motivi tutti diversi, ma con grande predominanza del nero sul bianco. Le pareti delle Terme erano decorate con *crustae* marmoree, riconoscibili dai piccoli fori per le grappe che dovevano sorreggere le lastre di marmo e che consentono di ricostruirne il disegno rettangolare. Come già accennato, le volte degli ambienti prospicienti la *natatio* e le nicchie delle vasche del *frigidarium* erano invece coperte da mosaici di pasta vitrea, che dovevano creare un effetto iridescente riflettendosi nelle vasche piene d'acqua.

Marina Piranomonte

to study the terrace mosaics close-up and assess how much of these floors remain *in situ*. Their decorative motif was a marine procession with nereids, tritons, charioteer-cupids, depicted with black figures on a white background. The border of the *thiasos* was made up of dolphins flanking oars or rudders. Their tails, which end in leaves, are knotted in pairs with tridents, symbols of the god Neptune. One fragment depicts a cupid who, in a standing position, rides a pair of sea monsters, his right arm raised to whip them, while his left hand holds the reins firmly. This is undoubtedly the most important of the depictions preserved among the mosaics overlooking the palaestras.

The floors of the *apodyteria*, the changing rooms, had black and white mosaics with geometric motifs that vary from time to time. The tesserae were of flint and *palombino* marble. The central hall, which was larger, had floors with a very similar motif to that of the lanceolate scales in the palaestras (stylised pelta shields), while the side halls had completely different motifs, but mainly black on white. The walls of the Baths were decorated with marble *crustae*, recognisable from the small holes for the clamps that held up the marble sheets, which allow us to reconstruct their rectangular design. As we have already seen, the vaults of the rooms overlooking the *natatio* and the niches for the basins of the *frigidarium* were covered with glass-paste mosaics, which, reflecting in the basins full of water, must have created an iridescent effect.

Marina Piranomonte

Mosaico con delfino, dal piano superiore delle palestre.
Mosaico con toro o mostro marino, dalla terrazza della palestra orientale.
Mosaici con erote su mostro marino, dal piano superiore delle palestre.
I mosaici bianchi e neri di uno dei due *apodyteria*.

Mosaic depicting a dolphin, from the upper floor of the palaestras.
Mosaic depicting a bull or a sea monster, from the upper floor of the palaestras.
Mosaics depicting cupids on sea monsters, from the upper floor of the palaestras.
Black and white mosaics from one of the two *apodyteria*.

La galleria semicircolare sottostante il *caldarium*. La strada basolata sottostante il *caldarium*, rinvenuta nel 1996.

The semicircular tunnel beneath the *caldarium*. The paved street beneath the *caldarium*, discovered in 1996.

Sotterranei e Mitreo

La parte senz'altro meno nota delle Terme è costituita dai sotterranei di servizio, conservati per circa due chilometri, ma ancora da scavare per una lunghezza pari al doppio del conosciuto: un dedalo di grandi gallerie carrozzabili (6 metri di altezza x 6 metri di larghezza ca.) che corre sotto buona parte dell'edificio, dove si trovavano tutti i depositi di legname, un mulino, il Mitreo, l'impianto di riscaldamento (i forni e le caldaie) ma anche quello idrico, una fitta rete di piccole gallerie che serviva per la posa delle tubazioni in piombo e la gestione dell'adduzione e della distribuzione dell'acqua. ▶

The underground rooms and Mithraeum

The least-known part of the Baths is undoubtedly the underground service area, which extends for about two kilometres, although twice as much as the explored area remains to be excavated. It is a maze of large access tunnels (c. 6 m high x 6 m wide) which runs beneath much of the building, where all the wood stores, a mill, the Mithraeum, and the heating (furnaces and boilers) and hydraulic systems were located, along with a dense network of tunnels constructed to house the lead pipes and permit management of the supply and distribution of water. ▶

96

L'impianto idrico doveva essere perfettamente organizzato per sopperire alle necessità di un complesso termale così grande e con un numero di frequentatori che poteva essere di sei-ottomila persone al giorno.

Le gallerie più grandi, quelle del riscaldamento, correvano sotto quasi tutto l'edificio ed erano illuminate da lucernai, che permettevano anche la circolazione d'aria e che impedivano che il legname lì conservato marcisse. Le loro grandi dimensioni erano legate alla necessità che vi transitassero i carri carichi di legna trainati da cavalli; infatti all'ingresso delle gallerie, sul lato di Via Antonina, è ancora visibile e perfettamente conservata una grande rotatoria stradale con al centro il posto di guardia per il custode-controllore del traffico di carri, legname e uomini impegnati a mandare avanti la complessa macchina tecnologica delle Terme. Le volte a botte che coprivano i sotterranei erano foderate da mattoni quadrati (*bessales*), di cm 19x19, a loro volta foderati da bipedali.

Il Mulino, iniziato a scavare nel 1912, fu all'inizio erroneamente datato alla tarda antichità o al Medioevo. Solo negli anni ottanta, due studiosi svedesi, Schiøler e Wikander, ne hanno correttamente ricostruito il funzionamento datandolo, sulla base della tecnica edilizia e di alcuni ritrovamenti ceramici, agli anni della costruzione dell'edificio. È d'altronde credibile che esso fosse una installazione originale del complesso termale, vista la grande quantità di bagnanti che vi trascorrevano la giornata e le loro numerose necessità. Sicuramente fu attivo almeno fino al V secolo, periodo in cui le Terme erano ancora perfettamente funzionanti, come attestano gli autori antichi (Polemio Silvio e Olimpiodoro) e i dati di scavo.

Il Mitreo fu scavato in occasione dei grandi sterri eseguiti nella zona all'inizio del Novecento per la realizzazione della Passeggiata Archeologica, e pubblicato dal suo scopritore Ettore Ghislanzoni. Vi si accede dall'ingresso che si affaccia sulla via Antonina, dal quale si entra anche

The hydraulic system must have been extremely well-organised to meet the needs of such a large bath complex that was perhaps visited by six to eight thousand people every day. The largest tunnels were used for the heating system and ran under almost the entire building. They were lit by skylights which also allowed air to circulate, preventing the wood stored in them from rotting. Their large dimensions were designed to allow wagons pulled by horses to transport wood through them. At the entrance to these tunnels on the Via Antonina side of the Baths, a perfectly preserved traffic roundabout can still be seen, with a guard-post at the centre for the guard/controller of the traffic of wagons, timber and men required to make the complex technological machinery of the Baths function. The barrel vaults roofing the underground rooms were lined with square bricks (*bessales*) measuring 19 x 19 cm, and in turn were covered with *bipedalis* bricks.

The excavation of the Mill started in 1912. At first it was wrongly dated to late antiquity or the medieval period. During the 1980s, two Swedish scholars, Schiøler e Wikander, correctly reconstructed its functioning and dated it, on the basis of construction technique and some pottery finds, to the same period when the Baths were constructed.

It is possible that it was an original part of the bath complex, given the large number of bathers who spent the day there with their many needs. It clearly remained in use until at least the 5th century, when the Baths still functioned properly, as shown by ancient authors (Ptolemy Silvius and Olympiodorus) and by excavation data.

The Mithraeum was excavated at the same time as the large-scale clearance of the area for the construction of the Passeggiata Archeologica at the beginning of the 20th century. It was published by its excavator, Ettore Ghislanzoni. It is accessed from the

Affresco con
raffigurazione
di Mitra nella nicchia
della parete
occidentale
del mitreo (dopo il
restauro del 2012).
Veduta del mitreo,
in primo piano la
buca per le offerte.

Fresco depicting
Mithras in the niche
of the west wall
of the *mithraeum*
(after the restoration
of 2012).
View of the
mithraeum, with
the pit for offerings
in the foreground.

nelle gallerie; era però separato da queste da una porta o da un cancello. Infatti il luogo di culto è un tratto delle gallerie sotterranee riadattato a mitreo. Vi si accedeva anche direttamente dal piano superiore delle Terme, con un ampio scalone restaurato in occasione della sua riapertura al pubblico del 2012.

Il Mitreo si articola in cinque ambienti, il primo dei quali è una sorta di vestibolo d'ingresso e al tempo stesso il sottoscala della gradinata che scendeva dal piano delle Terme. Questo ambiente presenta, sul lato corto settentrionale, una vaschetta semicircolare, coperta a semicupola, rivestita in cocciopesto. Dall'ingresso, oltrepassando una soglia in travertino (una delle numerose conservate a dimostrazione della segretezza del culto) e un passaggio, si giunge in un altro ambiente, chiuso anch'esso da una porta o da un cancello, dove fu trovata nel 1912, all'atto della scoperta, una statua di Afrodite Anadiomene, ora conservata nell'Aula Ottagona (ex Planetario) delle Terme di Diocleziano. Si entra quindi nella sala di culto vera e propria, la più grande di Roma, costituita da un grande ambiente rettangolare coperto con volte a crociera, pavimentato a mosaico bianco e nero e con banchine sui lati lunghi. All'inizio dell'ambiente è visibile, scavata nel pavimento, una fossa circolare, coperta da una lastra piana di marmo, nella quale era interrata una grande olla di terracotta contenente delle offerte. Nella parete lunga occidentale, a destra di chi entra, è ancora riconoscibile un affresco rappresentante Mitra con copricapo frigio e disco solare di un bel punto di azzurro sul ventre, restaurato in occasione della riapertura al pubblico del sito. Ma l'elemento senz'altro più interessante dell'ambiente, peraltro quasi completamente spoglio della decorazione (tranne che per un blocco di marmo, di fattura molto rozza, che doveva rappresentare la *petra genetrix*, con un serpente tra le rocce, dalla quale era nato il dio) è la buca in laterizio posta al centro della stanza. Essa era collegata, attraverso uno stretto passaggio e una scaletta,

same entrance on the Via Antonina that leads to the tunnels, but was separated from these by a door or gate. Indeed, the cult centre is in a section of the underground tunnels that was reused as a *mithraeum*. It can also be accessed directly from the upper floor of the Baths, by a wide staircase which was restored when the Baths were reopened to the public in 2012.

The Mithraeum consists of five rooms, the first of which is a kind of entrance hall that also serves as the stairwell of the steps that lead down from the Baths level. On the short northern side of this room is a semicircular basin, covered by a half-dome and coated with *cocciopesto*. From the entrance, beyond a travertine threshold (one of many preserved that show the secrecy of the cult) and a passageway, another room is accessed, also closed off by a door or gate. Here in the excavations of 1912 a statue of Aphrodite Anadiomene was discovered, now displayed in the Octagonal Hall (former Planetarium) in the Baths of Diocletian. Finally the cult room itself is reached. It is the largest in Rome, and is made up of a large rectangular room covered by cross vaults, with a black and white mosaic floor, and benches on its long sides. A circular pit, cut into the flooring and covered by a flat marble slab, can be seen at the entrance to the room; a large terracotta jar full of offerings was buried here.

On the long wall to the west, to the right of the entrance, there is still a fresco depicting Mithras wearing a Phrygian cap and carrying a blue solar disc, which was restored for the reopening of the site to the public. But the most interesting aspect of the room, stripped bare of its decoration (except for a roughly carved marble block that must have represented the *petra genetrix*, with a snake between the rocks, from which the god was born) is the hole in the brickwork at the centre of the room. This linked a narrow passageway and steps to another room opening onto what we might call a 'sacresty', made up of a rough

con un altro ambiente, aperto a sua volta su quella che possiamo ritenere una 'sagrestia' fornita di un bancone di rozza cortina laterizia sullo sfondo e di una vaschetta circolare con gradini che doveva servire alle abluzioni connesse con il sacrificio. Sull'uso della buca rettangolare, un *unicum* nei mitrei conosciuti, l'ultima interpretazione tra gli studiosi, compresa chi scrive, è che in essa debba riconoscersi la *fossa sanguinis* per il sacrificio del toro (*taurobolium*), che veniva ucciso su una grata in ferro posta sopra la buca, dentro la quale si trovava, vestito con una toga candida, l'iniziato, pronto a ricevere il bagno del sangue dell'animale. Quest'ipotesi ben si collega con la religiosità di Caracalla e della sua famiglia, indirizzata a un sincretismo che quasi accomunava divinità classiche e orientali in un unico culto e che mescolava, nello stesso edificio, già all'interno di un bagno imperiale, una statua di Afrodite, un'iscrizione dedicata a Serapide *Kosmokrator* a cui poi è stato eraso il nome del dio egizio per sostituirlo con quello di Mitra, e infine la fossa per il *taurobolium* connessa con il culto di Mitra e con quello di Attis. Sulla parete di fondo, infine, si riconosce una grande apertura (chiusa con un leggero velo scuro per permettere di vedere oltre le retrostanti gallerie ed il mulino) nella quale doveva trovarsi il rilievo marmoreo rappresentante Mitra che uccide il toro, purtroppo oggi scomparso e del quale sono stati trovati solo pochi frammenti superstiti, con ai lati due piccole nicchie che dovevano conservare le statue dei due assistenti di Mitra, Cautes e Cautopates, geni dell'alba e del tramonto, dell'autunno e della primavera, anch'essi scomparsi.

La singolare mancanza di iconografia del sito, l'osservazione che anche il volto di Mitra nell'affresco superstite è eraso, il fatto che all'atto del ritrovamento siano stati rinvenuti nell'aula di culto molti elementi ridotti in pezzi, fanno pensare alla distruzione dei templi e delle immagini pagane seguite all'editto di Teodosio del 392 che vietava, sotto pena di morte, il culto degli dei non cristiani. Forse il nostro Mitreo,

brick counter at the back and a circular basin with steps that must have been used for purification relating to sacrifices. This rectangular hole is unique among the known *mithraea*. The most recent interpretation by scholars, including this author, is that it was the *fossa sanguinis* for the sacrifice of the bull (*taurobolium*). The bull was killed on an iron grating set over the hole, in which an initiate, dressed in a white toga, waited to be drenched in the animal's blood. This hypothesis fits with the religious leanings of Caracalla and his family towards a syncretism that more or less unified classical and eastern deities into a single cult. Mixed together, in the same building, within the imperial baths, were a statue of Aphrodite, an inscription dedicated to Serapis *Kosmokrator* (the Egyptian god whose name was later erased and substituted by that of Mithras), and finally the *taurobolium* pit connected with the cults of Mithras and Attis. Finally, on the rear wall, is a large opening (closed with a light-weight veil in order to see the tunnels beyond and the watermill) into which the marble relief depicting Mithras killing the bull must have been set. Unfortunately this is now lost and only a few surviving fragments have been found. There were two niches to the sides of the room, which must have held the statues of Mithras' two assistants, Cautes and Cautopates, spirits of sunrise and sunset, of autumn and spring. These are also lost.

The unusual lack of iconography in the room, besides the fact that even Mithras' face in the fresco has been erased, and that during the excavation of the cult hall many elements were found in pieces, leads one to think of the destruction of temples and pagan images after the Theodosian Edict of AD 392 which prohibited, under pain of death, all non-Christian cults. Perhaps this Mithraeum, still in use like the Baths above it, underwent the destruction of its images at that time, as Christian religion took precedence over pagan. While there were many similarities be-

Fossa sanguinis.
Rilievo con la *petra genetrix* da cui nasceva Mitra bambino.
Veduta d'insieme del mitreo con il suo ingresso.

The *fossa sanguinis.*
Relief with the *petra genetrix,* from which the baby Mithras was born.
View of the whole *mithraeum* with its entrance.

102 ancora funzionante come le soprastanti Terme, deve avere subìto la distruzione di tutte le sue immagini proprio in quel momento, in cui la religione cristiana prese il sopravvento su quella pagana. Senza dimenticare poi che le molte similitudini tra Mitra e Gesù Cristo, nati entrambi in una grotta, il 25 dicembre, morti per sconfiggere il male, celebrati con un banchetto mistico di carne e di vino, rendevano il mitraismo il nemico più diretto del nuovo culto cristiano che tanto si era diffuso nell'età imperiale. Anzi il III secolo, anno della nascita delle nostre Terme e quindi del Mitreo, fu il periodo di massimo rigoglio del culto di Mitra, dio guerriero molto amato dai militari, che poi alla fine del secolo successivo dovette soccombere al Cristianesimo.

Marina Piranomonte

tween Mithras and Jesus (both were born in a cave on the 25th December, died to overcome evil, and were celebrated with a mystical banquet of meat and wine), Mithraism become the main enemy of the new cult of Christianity which became popular in the imperial period. Indeed, the 3rd century, the period when the Baths of Caracalla, and thus the Mithraeum were built, saw the greatest flowering of the cult of Mithras, the warrior god beloved by soldiers, but by the end of the next century it would be overcome by Christianity.

Marina Piranomonte

Lawrence
Alma-Tadema,
A Favorite Custom,
1909. Londra,
Tate Gallery.

Lawrence
Alma-Tadema,
A Favorite Custom,
1909. London,
Tate Gallery.

Le terme, luogo per il tempo libero

104

Per i Romani dell'età imperiale il rituale del bagno era uno dei massimi piaceri della vita, insieme all' amore e al vino. Ma non era stato sempre così: durante l'età repubblicana, infatti, il bagno era considerato una mollezza greca alla quale gli uomini, sia liberi che schiavi, si dovevano accostare il meno possibile per non perdere la forza fisica; anzi il bagno (*lavatrina*) delle case dei ricchi era situato in un angolo nascosto della casa. Seneca, autore della celebre lettera a Lucilio da Baia nella quale si lamenta del tremendo rumore che sente arrivare dalla Terma vicina alla sua casa, descrivendo il bagno di Scipione Africano nella sua villa di Literno paragonava i costumi repubblicani alle mollezze della sua epoca: ►

The Baths, the place of recreation

For the Romans of the imperial period, the ritual of bathing was one of the greatest pleasures of life, along with love and wine. But this had not always been the case. During the Republican period, bathing was considered a Greek weakness that men, both free and slave, should do as little as possible to avoid losing physical strength. Baths (*lavatrina*), even in the houses of the rich were hidden away in a corner of the house. Seneca, author of the famous letter to Lucilius from Baiae complaining about the tremendous noise that came from the baths near his house, contrasted Republican habits with the weaknesses of his day in his description of Scipio Africanus' bath at his villa at Liternum: ►

"In quell'angolo colui che era stato il terrore di Cartagine lavava il corpo stanco dalle fatiche campestri sotto un tetto sordido e su un poverissimo pavimento, mentre ai nostri giorni nessuno sopporterebbe di lavarsi così. Oggi le pareti sono splendenti di marmi rari dell'Egitto e della Numidia, la volta ricoperta da ricchissime dorature e il marmo tasio, che un tempo si ammirava in rarissimi templi, oggi fascia le piscine nelle quali vanno a tuffarsi i corpi affievoliti dall'eccessivo sudore prodotto dalle stufe". La moda del bagno, importata dalla Grecia, ebbe grande successo già in età repubblicana, quando alcuni imprenditori privati costruirono bagni pubblici (*balnea*), dandoli in appalto a gestori, i quali, pur facendo pagare una modesta tassa d'ingresso, il *balneaticum*, ebbero subito apprezzabili guadagni. La lettera di Seneca a Lucilio è la più vivace rappresentazione della vita nelle terme romane e se in quel caso si trattava dei piccoli bagni di una cittadina di provincia, si può immaginare quale confusione ci dovesse essere in terme grandi e frequentate da migliaia di persone come quelle di Caracalla. Lettera a Lucilio da Baia (Seneca, *Epistole* 56,1-2):

"Ecco che da ogni parte mi risuonano attorno clamori di ogni genere: abito proprio sopra il bagno pubblico. Ora immagina tutte le specie di suoni che possono farci detestare le orecchie: quando i più robusti si esercitano e agitano le mani cariche di palle di piombo oppure fanno sforzi o fingono di farne, odo i loro sospiri, ogni volta che emettono il fiato trattenuto, e i sibili e la respirazione oltremodo sgradevole; quando capita un qualche pigrone che si accontenta di essere unto alla maniera più comune, odo il rumore della mano che batte sulle spalle, diverso secondo che la mano è aperta o chiusa. Se poi sopraggiunge il giocatore di palla e comincia a contare i punti, è finita. Ora aggiungi un attaccabrighe e un ladro sorpreso in flagrante e quel tale che si compiace ad ascoltare la sua voce nel bagno: aggiungi quelli che saltano nella vasca con gran rumore dell'acqua sollevata. Oltre a costoro, le cui

'In that corner the man who had been the scourge of Carthage washed his body, tired from labour in the fields, beneath a rough roof and on a poor floor, while in our day no-one would wash themselves like this. Today the walls gleam with rare marbles from Egypt and Numidia, the vault is covered with rich gilding and Thasian marble. These materials were once the subject of admiration in just a few temples, but today they line the pools where people immerse their bodies, weakened by the excessive sweating caused by the furnaces.' The fashion for bathing, imported from Greece, became very popular from the Republican period onwards, when a few private businessmen constructed public baths (*balnea*), contracting them out to managers who, by charging a modest entrance fee (the *balneaticum*), earned immediate and substantial profits. Seneca's letter to Lucilius provides the most vivid description of life at the Roman baths. Given that he was talking about small baths in a provincial city, one can imagine the chaos there must have been in large baths frequented by thousands of people, like the Baths of Caracalla.

Letter to Lucilius from Baiae (Seneca, *Letters* 56, 1 – 2):

"Here I am, surrounded by all types of noise. I live right above the public baths. Now imagine all the kinds of sounds that make me detest hate my own ears; when musclemen exercise and jerk lead balls around, make an effort or pretend to make an effort, I hate their grunts, each time they expel their pent-up breath, their hissing and their disgusting gasping. If there's some lazy fellow who's come for a basic rub-down, I hate the noise as the masseur's hand slaps his shoulders, changing depending on whether he pounds him with an open or closed fist. If a ball-player shows up and starts to call out his score, then I'm finished. Then you just need to add a troublemaker, a thief caught in the act, someone who likes the sound of his own voice in the bath, and men who jump into the pool with a huge splash. Besides the customers who just have loud voices, imagine a depilator with a thin, shrill

voci sono almeno di tono uguale, pensa al depilatore che emette continuamente una voce esile e acuta, perché più facilmente venga percepita e sta zitto solo mentre strappa i peli delle ascelle e costringe un altro a strillare in vece sua: pensa alle diverse grida del venditore di bibite, al venditore di salsicce e al pasticciere e a tutti gli imbonitori delle taverne che raccomandano la loro merce con una particolare intonazione di voce".

Certo il cittadino romano doveva trovare molto gradevole passare qualche ora alle terme, un fenomeno sociale che trasformò un'esigenza igienica in un piacere fisico e spirituale, o, come si direbbe ora, in un momento di benessere. Anche se il bagno fu sempre la principale attrattiva, quando vi si aggiunsero giardini, viali, stadi, biblioteche, le terme divennero un centro di mondanità, polo d'attrazione insostituibile, pari solo al circo e all'anfiteatro come popolarità e gradimento.

Il rituale del bagno comprendeva tradizionalmente una sauna, un bagno caldo, uno freddo e il massaggio, in ambienti o in orari diversi per uomini e donne; a questo si accompagnò da subito l'esercizio fisico, che consisteva in ginnastica, lotta, gioco della palla. Queste attività prevedevano dei luoghi idonei: lasciati i vestiti nell'*apodyterium* (spogliatoio), il bagnante andava in palestra a fare esercizio fisico, poi sostava in un ambiente caldo per sudare e da lì si recava nel *caldarium* dove si immergeva nelle vasche calde. Da lì poteva recarsi nel *tepidarium* e a fare il bagno freddo nel *frigidarium*, salone coperto con vasche fredde sui lati, e d'estate anche nella *natatio*, piscina scoperta d'acqua fredda.

Tra le terme più antiche in Italia sono quelle stabiane di Pompei, risalenti al IV secolo a.C., e quelle celeberrime di Baia, favorite dalla presenza di sorgenti termominerali e vapori naturali della zona vulcanica dei Campi Flegrei. Il termine "ipocausto" definiva lo spazio sotto il pavimento in cui si accendeva un forno a legna. Il calore di combu-

voice to attract attention, who is silent only when he's ripping out underarm hair and making someone else shriek for him. Imagine the different shouts of the drinks sellers, sausage and pastry vendors and all the hawkers from the taverns who advertise their wares in a distinctive tone of voice."

A Roman citizen must have found it very pleasant to pass a few hours at the baths. Roman bathing was a social phenomenon that transformed a necessary act of hygiene into a physical and spiritual pleasure, a moment of well-being as we would call it today. While the baths were always the main attraction, when gardens, promenades, athletic facilities, and libraries were added, the baths became a focus of worldly pleasures, a centre for unmissable attractions, rivalled only by the circus and amphitheatre in popularity and enjoyment.

The bathing ritual traditionally consisted of a sauna, hot and cold baths, and a massage, in separate rooms or at separate times for men and women. This was accompanied by physical exercise – gymnastics, wrestling, ball games. These activities required appropriate spaces, clothing was left in the *apodyterium* (changing room), the bather went into the *palaestra* to do physical exercise, then spent time in a hot room to sweat. From there he entered the *caldarium* where he immersed himself in hot water. Next he could go into the *tepidarium*, and have a cold bath in the *frigidarium*, a covered room with cold pools at its sides. In the summer he could also use the *natatio*, the cold water open-air pool.

The oldest baths in Italy include the Stabian Baths at Pompeii, dating to the 4th century BC, and the famous baths at Baiae, which benefitted from the thermal-mineral springs and natural vapours in the volcanic Phlegraean Fields. The term 'hypocaust' describes the space underneath the floor where a wood-fuelled furnace burned. The heat of this combustion was channelled under the flooring which was supported by pillars (*suspensurae*). In this way the floor remained hot, while at the same time the heat-

110 stione veniva convogliato sotto il pavimento sollevato su pilastrini (*suspensurae*), che così rimaneva caldo, mentre contemporaneamente l'acqua riscaldata serviva per il bagno caldo nelle vasche (*solia o alvei*). L'idea determinò il successo del sistema termale in tutto il mondo romano: nel 25 a.C. a Roma esistevano non meno di centosettanta bagni. In quell'anno Agrippa, genero di Augusto, inaugurò le terme che da lui presero nome in Campo Marzio, con accesso gratuito per i cittadini.

Nella stessa *regio*, nel 62 d.C. Nerone costruì le sue bellissime terme, celebrate da Marziale (*Epigrammi*, VII, 34, 4): "Cosa c'è di peggio di Nerone? Cosa c'è di meglio delle sue terme?". Qui per la prima volta gli ambienti termali veri e propri (*frigidarium*, *tepidarium*, *caldarium*) erano disposti lungo un asse centrale, mentre palestre e annessi erano collocati ortogonalmente a essi. Nell'80 d.C. Tito inaugurò le sue terme nella zona della *Domus Aurea* neroniana, ma ne restano pochissimi resti e solo qualche disegno rinascimentale del Palladio. A nord-est di esse, nel 110 d.C. Traiano inaugurò i lussuosissimi bagni che da lui presero nome e che inglobarono, seppellendole, parti della *Domus Aurea*. Qui si canonizzò il tipo delle "grandi terme imperiali", luogo per il bagno, ma anche ricco di portici, giardini, biblioteche, viali, in cui le strutture termali vere e proprie erano collocate nel corpo centrale, separato dal giardino dalle sale di lettura e di ritrovo, che erano a ridosso degli alti muri di cinta che dividevano l'edificio dalla città. Il complesso era perfettamente orientato nord-est/sud-ovest, per sfruttare al massimo l'insolazione, accorgimento che sarà adottato anche in seguito in altri edifici termali.

Un secolo dopo, fu inaugurato il bagno più sontuoso e grandioso mai costruito, le Terme di Caracalla, superate in grandezza, ma non in magnificenza, dalle Terme di Diocleziano, aperte circa novant'anni dopo.

Le terme erano luoghi dove curare il corpo, ma anche mangiare, incontrare amici e conoscenti; vi si poteva trascorrere tutto il pome-

ed water could be used in the hot baths (*solia or alvei*). This design determined the success of bathing technology across the Roman world. By 25 BC there were no fewer than 170 baths at Rome. In that year Agrippa, Augustus' son-in-law, opened the baths in the Campus Martius that took his name, and were free to all citizens.

In the same *Regio* in AD 62, Nero built his magnificent baths, celebrated by Martial (*Epigrams* VII, 34.4): 'What is worse than Nero? What is better than his baths?' Here for the first time the bathing rooms (*frigidarium*, *tepidarium*, *caldarium*) were set on a central axis, with the palaestras and other rooms placed at right angles to them. In AD 80 Titus opened his baths in the area previously occupied by Nero's *Domus Aurea*, although little survives of them besides a Renaissance-period drawing by Palladio. To the north-east of Titus' baths, Trajan opened his luxurious baths in AD 110. They took his name and incorporated (and buried) parts of the *Domus Aurea*. It was there that the 'great imperial baths' type became canonical, a place for bathing that was also endowed with porticoes, gardens, libraries, and promenades, with the bath building itself at the centre, separated from the garden by reading rooms and meeting rooms, behind the high walls that divided the building from the city. The complex was oriented north-east/south-west, to take maximum advantage of sunlight, an alignment adopted in later bath buildings.

A century later the Baths of Caracalla, the most luxurious and grandiose baths ever built were opened. These were later surpassed in size, but not in magnificence, by the Baths of Diocletian, which opened 90 years later.

The baths were places to take care of one's body, but also to eat and to meet friends and acquaintances. It was possible to spend the entire afternoon there, from the moment they opened at 12 noon to the moment they closed, at sunset. They were used by all social classes, from the poorest to the richest, and even em-

Lawrence
Alma-Tadema,
Il frigidarium, 1890.
Collezione privata.

Lawrence
Alma-Tadema,
Il frigidarium, 1890.
Private Collection.

112 riggio, dall'apertura, alle dodici, alla chiusura, al tramonto. Erano frequentate da tutti i ceti sociali, dai più umili ai più ricchi, e anche gli imperatori le frequentavano volentieri: Augusto e Vespasiano vi giocavano a palla, anzi quest'ultimo, dice Svetonio (*Vespasiano*, 20), si tratteneva molto tempo nello sferisterio. Ovviamente c'erano anche i parassiti, come quello noto da un epigramma di Marziale (XII, 82): "Nelle terme e nei luoghi accanto ai bagni non è possibile scansare Menogene, pur ricorrendo a ogni espediente. Afferrerà il pallone, sudaticcio con la destra o la sinistra, le sue prese per fare segnare in tuo favore. Raccoglierà dalla polvere la palla lì caduta e te la porterà anche s'egli abbia già fatto il bagno e si sia calzati i sandali… Ti loderà e ammirerà in tutto, fintanto che tu, dopo aver sopportato mille noie, non gli dirai: vieni a mangiare con me".

I ladri, *fures balnearii*, approfittavano della confusione per introdursi negli spogliatoi (*apodyteria*) e impadronirsi degli oggetti lasciati incustoditi. Tanto frequenti erano i furti che i ricchi andavano al bagno con uno schiavo che restava a sorvegliare i vestiti; conosciamo pene di diversa severità a seconda del tipo di furto, fino ai lavori forzati e a quelli nelle miniere (*Digesto*, XLVII, 17).

Le donne andavano alle terme in ambienti rigidamente divisi per i due sessi, come sappiamo da Varrone (*Della lingua latina*, 1,1, 9, 68). Ma già Cicerone lamentava che la separazione tra i due sessi non fosse sempre rispettata (*Dei doveri*, I, 35, 129) e la stessa abitudine ai bagni 'promiscui' scandalizzava anche Plinio il Vecchio (*Storia naturale*, XXXIH, 153), mentre Marziale li accetta come specchio della licenziosa società del suo tempo (*Epigrammi*, III, 51, 72; XI, 47, 75). L'imperatore Adriano, per far cessare lo scandalo, stabilì la rigida separazione dei sessi, prescrivendo ambienti separati o adottando orari differenziati (*Historia Augusta*, *Vita di Adriano*, 18, 10); lo stesso provvedimento fu adottato da Marco Aurelio (*Historia augusta*, *Vita di Marco Aurelio*, 23,

perors went there willingly. Augustus and Vespasian played ball there, and Suetonius (*Vespasian 20*) says that Vespasian spent a lot of time in the ball park. Of course, there were also parasites, as noted in one of Martial's epigrams (XII, 82): "In the baths and their vicinity it's impossible to avoid Menogenes, whatever trick you use. He'll grab the ball with his sweaty right or left hand, in an attempt to gain favour with you. He'll take up the ball from where it's fallen in the dust and bring it to you, even though he has already bathed and is wearing his sandals. He'll praise you and admire you for everything, until you've endured a thousand acts of annoyance, and you say to him, 'Come dine with me'".

Thieves, *fures balnearii*, exploited the chaotic atmosphere to enter the changing rooms (*apodyteria*) and grab items left unattended. Theft was so common that rich people went to the baths with a slave who stayed to keep an eye on their clothes. We know that there were severe punishments, up to forced labour and labour in the mines, meted out according to the type of theft (*Digest* XLVII, 17).

We know from Varro (*De lingua latina*, 1,1, 9, 68) that women went to bathe in areas where the two sexes were strictly separated. However, Cicero complained that this separation of the sexes was not always respected (*On Duties*, I, 35, 129) and the custom of 'promiscuous' baths shocked Pliny the Elder (*Natural History* XXXIH, 153), although Martial accepted it as a reflection of the moral laxity of contemporary society (*Epigrams* III, 51, 72; XI, 47, 75). To end the scandal, the emperor Hadrian enforced strict separation of the sexes, requiring separate rooms or different bathing times (*Historia Augusta, Life of Hadrian* 18, 10). The same measure was adopted by Marcus Aurelius (*Historia Augusta, Life of Marcus Aurelius*, 23, 8) and Severus Alexander (*Historia Augusta, Life of Severus Alexander*, 24, 2), contrasting his stance with the opposite one taken by the depraved Elagabalus.

114 8) e da Severo Alessandro (*Historia augusta*, *Vita di Severo Alessandro*, 24, 2), per contrastarne uno opposto del vizioso Eliogabalo.

Il prezzo dell'ingresso era vario, ma sicuramente molto modesto: Orazio (*Satire*, I, 3, 37) e Marziale (*Epigrammi*, II, 52; III, 30, 4) parlano di un *quadrans*, il quarto di un asse, la moneta più piccola coniata al loro tempo, quando per un asse e mezzo si comprava un litro di vino e una forma di pane. All'epoca di Diocleziano il prezzo era di due *denarii*, il pezzo più piccolo della serie bronzea, con il quale si pagava anche la custodia delle vesti all'interno delle terme. In occasioni particolari l'ingresso era gratuito, un mezzo usato da personalità pubbliche per conquistarsi la benevolenza dei cittadini.

Il ritrovamento di alcuni quadranti, veri e propri spiccioli, in un'olla posta su uno dei pianerottoli situati sulle scale d'ingresso delle Terme di Caracalla durante gli scavi del 1999, dimostra la veridicità delle fonti antiche sulla modestia del costo dell'ingresso ai bagni, e dimostra come le nostre terme fossero davvero "le ville della plebe", come le definivano gli antichi.

Marina Piranomonte

The cost of entry varied, but was certainly modest. Horace (*Satire*, I, 3, 37) and Martial (*Epigrams*, II, 52; III, 30, 4) claim it was a *quadrans*, a quarter of an *as*, the smallest coin minted in their day. A litre of wine and a loaf of bread could be bought for one and a half asses. During Diocletian's reign, the price was two *denarii*, the smallest of the bronze coins, which included the cost of having one's clothes guarded inside the baths. On special occasions entrance was free, a practice used by public figures to win the citizens' goodwill.

In the course of excavations in 1999 several *quadrantes*, just loose change, were found in a jar set on a landing of the entrance stairway of the Baths of Caracalla. This shows that the ancient sources were right about the modest cost of entry to the baths, and demonstrates that the baths really were 'the villas of the plebs', as they were known in antiquity.

Marina Piranomonte

Veduta dall'alto
della terrazza
del *frigidarium*
restaurata nel 2011.

View of the terrace
of the *frigidarium*
from above,
restored in 2011.

116 Restaurare le Terme

L'imponente complesso delle Terme di Caracalla è stato per molti anni fortemente limitato nelle sue potenzialità, in particolare per quel che riguarda la fruizione pubblica, per la presenza del Teatro dell'Opera che – dal 1938 al 1999 – ne ha occupato stabilmente, anche con interventi invasivi, alcune porzioni. Tale ingombrante presenza ha impedito a quest'area, che per importanza e spettacolarità può essere considerata alla stregua del Palatino, di imporsi tra le proposte del patrimonio archeologico di Roma, e ha limitato la gestione delle risorse economiche utili a restauri significativi, non legati esclusivamente alla sua manutenzione ordinaria.

Alla fine degli anni novanta sono state rimosse le strutture permanenti del Teatro dell'Opera e così, venuto meno il riduttivo ruolo di 'contenitore' del teatro, è iniziata una serie di interventi di consolidamento e restauro tesi alla riqualificazione del sito.

La linea guida dei progetti d'intervento sul complesso termale di Caracalla è partita quindi dallo smantellamento delle strutture erette per il palco e delle strutture necessarie alle attività teatrali e dunque dalla riparazione dei danni causati dall'uso improprio che del monumento si era fatto per anni.

Data l'esiguità dei fondi a disposizione per gli interventi di restauro, si è dovuto procedere dando priorità assoluta alle zone con i più significativi problemi statici e di sicurezza. Si sono così restaurati i passaggi dalle palestre al *frigidarium* e agli *apodyteria* (spogliatoi), anzitutto per garantire l'incolumità dei visitatori e la circolazione il più possibile agevole lungo i percorsi di visita.

È infatti fondamentale, per i monumenti dalle altezze imponenti quali le nostre terme, tenere il pubblico al sicuro da eventuali distacchi di materiale da costruzione dalle sommità. Per questa ragione si sono studiati percorsi che restringono il passaggio del pubblico riducendo i rischi per i visitatori. Ed

è anche per questa ragione che è stato realizzato il corridoio "transennato" all'interno del *frigidarium*.

Un altro intervento primario, e continuo negli anni, è la verifica dello stato delle sommità tramite braccio meccanico. È solo così che le grandi altezze del complesso monumentale possono essere costantemente monitorate.

Una volta messi in sicurezza i visitatori, si è passati al restauro delle murature più ammalorate. Primo tra questi è stato l'intervento sull'esedra occidentale della palestra orientale. Questa presentava lesioni importanti nel nucleo murario e sulla sommità dei muri rimasti. Le lesioni, inizialmente, sono state riempite con malta idraulica simile all'originale in modo da colmare i distacchi che rendevano instabile la struttura, successivamente è stato realizzato un bauletto protettivo delle creste cui ha fatto seguito un fissaggio dei mattoncini recuperati *in situ*.

Un ulteriore intervento ha interessato l'imponente arcata che sovrasta il *frigidarium*. Questa sembra avere subìto un danneggiamento a seguito del terremoto dell'Aquila (2009) e presentava una lesione estesa generatasi nella mezzeria dell'intradosso della volta. Al momento dell'intervento, ci si è resi conto che la lesione proseguiva anche nell'estradosso dell'arcata; dunque è stato necessario consolidare l'arcata con cuciture realizzate in perni di acciaio inox che hanno ricomposto la cesura restituendo unità statica alla volta. Successivamente è stato impermeabilizzato l'estradosso, ripristinando un piano di calpestìo in cocciopesto che, attualmente, si presenta come un camminamento protetto da parapetti su una delle poche arcate preservate in elevato. L'accesso al camminamento è reso possibile dalla persistenza di una delle scale a chiocciola nascosta nella muratura che, in antico, conduceva al piano superiore delle terme e che è, ancora oggi, perfettamente conservata fi-

Restoring the Baths

For many years the potential of the imposing Baths of Caracalla complex was severely limited, particularly in terms of its appreciation by the public, by the presence of the Opera Theatre. From 1938 until 1999, this permanently occupied, and made invasive changes to several parts of the Baths. This cumbersome presence prevented the area, comparable to the Palatine Hill in its importance and spectacular character, from inclusion in plans for Rome's archaeological heritage, and limited the provision of economic resources needed for major restorations which did not relate exclusively to day-to-day maintenance. At the end of the 1990s the permanent structures of the Opera Theatre were removed so that the Baths no longer served a simple role as a 'container' for the theatre. A series of consolidations and restorations began that were intended to redevelop the site.

The plan for the restoration of the bath complex of Caracalla thus took as its starting point the dismantling of the structures erected for the stage, and other structures related to the theatrical activities, and thus then the repair of damage caused by the improper use of the monument over the years. Given the lack for funds available for restoration, work proceeded by giving absolute priority to the areas with the most significant structural problems and those which posed the greatest hazard. Thus the corridors from the palaestras to the *frigidarium* and to the *apodyteria* (changing rooms) were restored, above all to ensure the safety of visitors and the greatest ease of movement along the visitors' route.

Of course, it is of fundamental importance for monuments with towering remains, like these Baths, to make sure that the public is safe from any building materials that might fall from above. For this reason routes were investigated restricting public

access to reduce the risk to visitors. For the same reason the fenced corridor inside the *frigidarium* was constructed.

Another crucial task, which remains ongoing over the years, is to check the condition of the highest parts of the building by means of a mechanical arm. Only in this way can the highest parts of the monumental complex be constantly monitored.

Once the safety of visitors was ensured restorations began on the walls that had deteriorated the most. Work took place first in the west exedra of the east palaestra. This displayed significant cracks in the masonry core, and at the top of the remaining walls. The cracks were initially filled with hydraulic cement similar to the original in order to fill the gaps that were making the structure unstable. Later a protective case was placed over the ridges. Finally the bricks recovered *in situ* were fixed in place.

Another piece of restoration involved the imposing arch that dominates the *frigidarium*. This seems to have been damaged as a consequence of the L'Aquila earthquake (2009) and showed a large crack that extended to the centreline of the *intrados* (inner curve) of the vault. At the time of restoration, it became apparent that the crack also extended to the *extrados* (outer curve) of the arch. Thus it was necessary to consolidate the arch with staples made from stainless steel pins. These repaired the break, and restored structural unity to the vault. Later the *extrados* was sealed, restoring a layer of *cocciopesto* that, today, looks like a walkway protected by retaining walls on one of the few arches preserved to any height. Access to the walkway was made possible by the survival of one of the spiral stairways embedded in the brickwork. In antiquity this led to the upper storey of the baths and even today it is still perfectly preserved to a height of 25 metres. Public access to this area will be possible only for restricted numbers, but the project will

Ponteggi di restauro dell'abside della palestra orientale (primavera 2011). Centine lignee per il restauro e il rifacimento della volta di un ambiente dei sotterranei con la tecnica edilizia romana (lavori 2011-2012).

Scaffolding for the restoration of the apse in the eastern palaestra (spring 2011). Wooden centering for the restoration and reconstruction of a vault in one of the underground rooms using Roman building techniques (restoration 2011 – 2012).

118

no a 25 metri di altezza. L'accesso al pubblico di quest'area sarà possibile solo in forma contingentata, ma il progetto sarà attuabile solo quando i finanziamenti permetteranno di restaurare i muri di spina intermedi.

Tra le difficoltà che s'incontrano nell'intervenire su un sito archeologico di questa complessità, la più significativa è senza dubbio quella dell'altezza dei ruderi, che raggiungono anche i 37 metri. Tale imponenza, non aiutata dalla presenza di piani intermedi spesso crollati, obbliga alla realizzazione di importanti ed invasive opere provvisionali che quasi sempre costringono a limitare, se non a chiudere del tutto, le aree al pubblico.

Nell'ottica di restituire alla fruizione il complesso monumentale su più piani, si inserisce il restauro del Mitreo, situato all'interno delle gallerie di servizio dell'impianto termale sotto l'esedra nord-ovest, appena concluso. Qui le problematiche sono state rese più complesse dal microclima non più coerente con quello del passato poiché, nel secolo scorso, all'interno delle volte furono create delle aperture, e l'intera copertura dell'ambiente limitrofo al Mitreo è crollata: l'infiltrazione di acque meteoriche e la circolazione di aria nelle gallerie ha causato la formazione di microrganismi e piante che hanno intaccato gran parte delle superfici esposte.

Poiché il principio d'intervento sulle murature antiche è quello di utilizzare materiali e metodologie coerenti con quelli romani, si è proceduto alla ricostruzione della volta a crociera crollata, con centine lignee simili a quelle originarie e alla chiusura delle bocche di lupo; a completamento dell'intervento si è pensato di rimuovere il giardino soprastante, sostituendolo con un piano in cocciopesto con funzione impermeabilizzante. In questo modo sono stati ottenuti due risultati: la ricostituzione dell'ambiente così come concepito dal progetto originario e il ricrearsi di un microclima stabile che non permetta il proliferare di microrganismi ed efflorescenze sulle pareti.

Gli interventi fin qui descritti sono stati seguiti da lavori di recupero di parte delle gallerie sotterranee, con l'allestimento di uno spazio espositivo che ospita frammenti architettonici e lapidei del monumento, ampliando la fruizione dello spazio interrato delle Terme di Caracalla.

Parte importante del progetto globale di recupero dell'intera area archeologica è l'attenzione prestata alla zona delle *tabernae*: ambienti contigui alla via Nova, monumentale punto d'accesso all'impianto termale, che nel corso degli anni si sono fortemente degradati, crollati in gran parte, conservando poche superfici integre e con i piani originali di spiccato interrati per circa tre metri. Si è indagato il reale stato conservativo delle murature ancora in essere e si sono contestualmente eseguite indagini archeologiche che hanno reso possibile la lettura del deposito stratigrafico all'interno di due ambienti, consentendo una migliore comprensione delle destinazioni d'uso di questi spazi e riconoscendovi scale e ballatoi lignei originali.

Possiamo concludere riflettendo come manufatti di questa complessità necessitino, oltre che di opere di restauro, di strutture per informare, illuminare, rendere fruibili gli spazi: elementi che permettano di accedere, attraversare, lavorare e comprendere un complesso storico-archeologico e che finiscono per diventare parte del monumento, restituendoci un manufatto rielaborato e sempre nuovo.

Dove camminare, verso cosa dirigere lo sguardo, cosa celare e cosa mostrare, cosa illuminare e cosa lasciare in ombra, divengono azioni interpretative prima ancora che gesti necessari alla soluzione di problemi pratici; è su questa sfida che continuiamo a confrontarci all'interno delle molteplici realtà che la Soprintendenza Speciale per i Beni Archeologici di Roma tutela.

Maurizio Pinotti

only be feasible when finances permit the restoration of the intermediate internal load-bearing walls.

Among the difficulties encountered in restoring an archaeological site of this complexity, the most significant is undoubtedly the height of the ruins, which in places reach 37 metres. The scale of the task is not helped by the presence of intermediary floors that have often collapsed, and require important and invasive provisional work that almost always require restricting access to the public, if not complete closure.

Restoration of the *mithraeum* was undertaken, and recently completed, as part of the process to reinstate access to the multiple levels of of this complex monument. The *mithraeum* is located within the service galleries of the bath building, beneath the north-west exedra. Here the problems were complicated by its micro-climate that now differs from its former condition, since in the last century openings were made within the vaults and the entire roof of the neighbouring room collapsed. Infiltration of rain water and circulation of air in the galleries led to the formation of micro-organisms and plants that have eaten away at much of the exposed surface.

Since the underlying principle for restoration of ancient walls is to use materials and methods consistent with the Romans', it was decided to reconstruct the collapsed cross vault using wooden centring like the original and to close the air vents. To finish the restoration it was decided to remove the garden above and substitute it with a layer of water-proof *cocciopesto*. In this way two results were achieved; reconstruction of the room as conceived in the original project; and recreation of a stable micro-climate that would not allow micro-organisms and efflorescence to spread on the walls.

The restoration described here was followed by work to re-establish partial use of

the underground galleries, including establishment of an exhibition space where architectural and stone fragments from the monument could be displayed, thus increasing the use of the underground space at the Baths of Caracalla.

An important part of the overall project to reclaim the entire archaeological area is the attention given to the area of *tabernae*. These were rooms adjacent to the Via Nova, the monumental access to the bath building. Over the years these have deteriorated severely, and have largely collapsed. Only a few surfaces have been preserved intact, and the original levels of *opus spicatum* were buried three metres down. A study was done of the actual preserved condition of the standing walls, along with contextual archaeological investigation that made it possible to record the stratigraphy deposited within the two rooms. This allows us to understand the intended use of these areas more effectively, and to identify the stairs and the original wooden galleries.

We can conclude by considering how complex constructions require not just restoration work but also structures to inform, to enlighten, and to make the spaces accessible. These are the elements that allow us to access, move through, work in, and understand a historical and archaeological complex. Ultimately these things become part of the monument, offering us a building that is reworked but forever new.

Where to walk, where to direct the visitor's gaze, what to hide and what to show, what to highlight and what to leave in shadow – these are actions of interpretation that take place before any procedures required to solve practical problems. This is the challenge that we continue to confront within the multi-faceted realities safeguarded by the Soprintendenza Speciale per i Beni Archeologici di Roma.

Maurizio Pinotti

Il sistema di distribuzione
e smaltimento delle acque

I grandi edifici termali di età imperiale furono costruiti facendo tesoro della lunga esperienza già acquisita nei settori specifici (tecnica edilizia, idraulica, termodinamica) e, per la loro realizzazione, considerata la complessità dell'opera, vennero messe in atto le più sofisticate conoscenze tecniche dell'epoca. La stessa complessità costruttiva richiese per la sua realizzazione un progetto molto impegnativo basato su impianti tecnici per l'utilizzo dei quali era necessaria anche un'organizzazione di altissimo livello.

La gran parte delle soluzioni tecnologiche adottate per il funzionamento delle Terme di Caracalla è localizzata in ambienti sotterranei che costituiscono un dedalo di gallerie e cunicoli di varie dimensioni e posti a diverse quote. Essi sono dislocati sia sotto l'edificio centrale che nel sottosuolo del giardino e del recinto esterno.

In base alle funzioni cui erano destinati è possibile suddividere i sotterranei in quattro grandi categorie:
  – ambienti di servizio, di transito e di deposito
  – ambienti connessi all'impianto termico di riscaldamento
  – gallerie, cunicoli e condotti per la posa delle tubazioni e la gestione e la manutenzione dell'impianto idraulico di adduzione e distribuzione dell'acqua
  – gallerie, cunicoli e condotti connessi all'impianto idraulico di smaltimento delle acque piovane e reflue.

Chilometri di gallerie sotterranee, disposte su tre livelli planimetrici sovrapposti e tra essi collegati, erano destinati al fondamentale e necessario compito di condurre e distribuire la preziosa acqua a tutte le utenze del complesso termale e a riceverne i sopravanzi e gli scarichi.

Gran parte di queste gallerie è sopravvissuta ai danni del tempo e al lungo abbandono dell'impianto dopo il sabotaggio degli acquedotti seguito all'invasione dei Goti nella prima metà del VI secolo, grazie alla loro presenza celata nel sottosuolo e ad un successivo parziale interramento, e sono fortunatamente giunte a noi in condizioni tali da permettere di ricostruirne l'antico funzionamento e il completo disegno progettuale.

Una prima rete di condotti si sviluppava a partire dagli imponenti serbatoi (lato via Baccelli), capaci di contenere circa 10.000 metri cubi di acqua (posti su un basamento che li sopraeleva rispetto al giardino e al palazzo) e conduceva l'acqua, tramite un percorso anulare sotterraneo, ramificato verso l'interno dell'edificio principale, grazie alla spinta dovuta alla sola forza di gravità e al principio fisico "dei vasi comunicanti", fino a raggiungere le vasche dell'area di balneazione e ad alimentare le numerose fontane distribuite in ogni ambiente del grande palazzo.

Una rete complementare e parallela, collegata alla precedente da condotti di adduzione, conduceva invece l'acqua a utenze sistemate negli ampi giardini e negli edifici perimetrali.

L'abbondante afflusso idrico, proveniente da fonti situate nell'alto bacino del fiume Aniene e condotto dall'Aqua Antoniniana (una derivazione dell'Aqua Marcia), veniva distribuito tramite grosse tubazioni di piombo (purtroppo quasi totalmente trafugate nel tempo da 'predatori' del prezioso metallo) disposte all'interno di queste gallerie di servizio. Tali gallerie avevano (o se vogliamo, 'hanno', considerato che ancor oggi sono percorribili in buona parte) dimensioni atte a permettere il passaggio del personale che effettuava la costante manutenzione della rete idrica: infatti sono alte circa m 1,60.

A un livello inferiore rispetto a questo primo reticolato di gallerie si estende un'altra articolata serie di condotti, strategicamente collocati ed estesi come i precedenti ma di

The water distribution and drainage system

The great bath buildings of the imperial period were built by exploiting long experience already gained in particular relevant fields (building, hydraulic and thermodynamic techniques). Given the complexity of the work, the most sophisticated technological knowledge at the time was employed. An extremely challenging project based on technical facilities was needed to achieve this structural complexity, as well as a very high degree of organisation.

Most of the technological solutions adopted for the functioning of the Baths of Caracalla were housed in the underground rooms that formed a maze of galleries and tunnels of various sizes, on different levels. They were set beneath the central buildings and in the subsoil of the garden and the outer enclosure.

We can subdivide these underground installations into four major categories, based on their functions:
  – Service rooms, passageways and storerooms.
  – Rooms related to the heating installation.
  – Galleries, tunnels and conduits to the installation of pipes and the management and maintenance of the hydraulic system for the introduction and distribution of water.
  – Galleries, tunnels and conduits related to the hydraulic system for drainage of rain water and waste water.

There are kilometres of underground galleries, set at three overlapping levels and connecting to one another. They were used for the fundamental and necessary task of providing and distributing the precious water to all the users of the bath complex and dealing with overflow and waste.

Most of these galleries have survived the ravages of time and the long abandonment of the bath complex since the aqueducts were sabotaged after the Gothic invasion of the early 6th century. The survived because they were hidden underground and later partially buried. Fortunately they have come down to us in a condition that allows us to reconstruct their ancient function and the entire project design.

One network of conduits extended from the massive cisterns (on the Via Baccelli side of the Baths) that were able to hold c. 10,000 cubic metres of water. These were set on a base that raised them relative to the garden and palace, and led the water through an annular underground route branching off towards the inside of the main building. Due to the boost caused solely by the force of gravity and to the physical principle of 'communicating vessels', this water reached the basins of the bathing area and fed the numerous fountains in all of the rooms of the large palace.

A complementary and parallel network was connected to the previous one by adduction conduits and this fed water to utilities located in the large gardens and the perimeter buildings.

An abundant supply of water came from sources located in the high basin of the river Aniene and was transported by the Aqua Antoniniana (a branch of the Aqua Marcia). It was distributed by large lead pipes (unfortunately almost completely robbed out over time by looters of precious metals) set within these service galleries. These galleries had (or rather, 'have', since even today they are largely viable) dimensions suitable for the passage of workmen who undertook the constant maintenance of the water network. In fact they are c. 1.60 metres high.

Beneath this first network of galleries there is another articulated series of conduits, strategically placed and covering the same area as the first one, but of smaller diameter. This network took water from the numerous down pipes located on the wide vaults of the structure, from the overflow of the cisterns, basins and fountains, from damaged pipes in

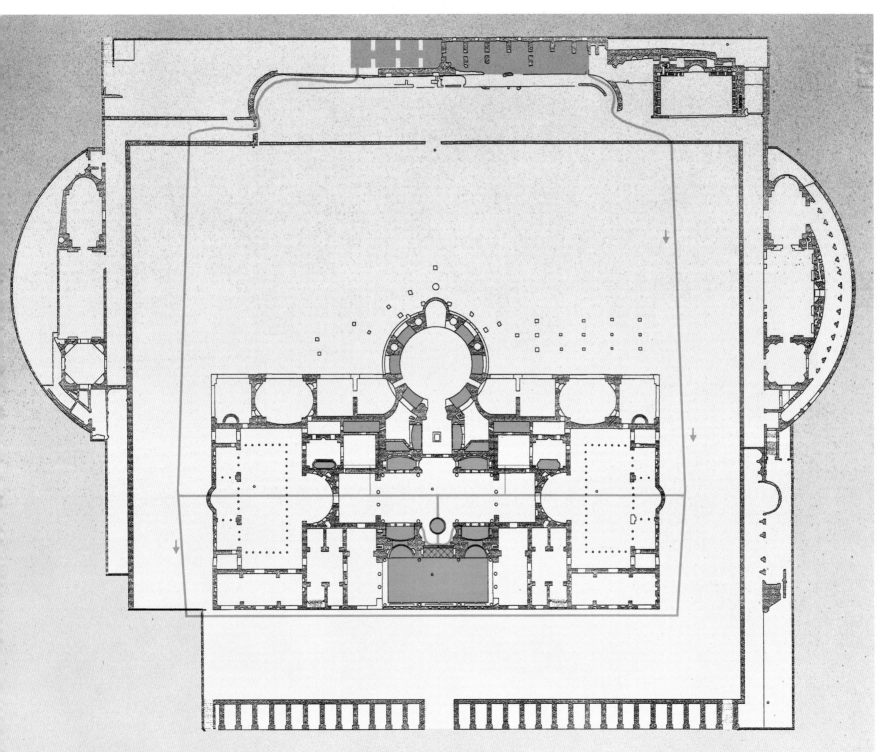

minor sezione, che ricevevano le acque dai numerosi pluviali provenienti dalle ampie volte della costruzione, dai sopravanzi di serbatoi, vasche e fontane, dalle tubazioni che potevano danneggiarsi nelle gallerie soprastanti, dallo svuotamento giornaliero della maggior parte delle piscine per la pulizia, dai tombini distribuiti nelle aree scoperte, e le convogliavano in un grosso collettore centralizzato che si sviluppa trasversalmente all'edificio termale, a una maggiore profondità, e che le smaltiva immettendole nella rete fognaria dell'Urbe. Quest'ultimo grande condotto, posizionato alla massima profondità (circa 14 metri più in basso rispetto all'attuale piano del giardino) fu realizzato raggiungendo il livello della falda acquifera del rilievo su cui poggia l'intero complesso e sfruttando la naturale pendenza del terreno per convogliare il flusso idrico.

Questo articolato sistema di distribuzione e regimentazione delle acque ha sicuramente richiesto una lunga e dettagliata progettazione da parte degli antichi ingegneri romani, che hanno dovuto prevedere anche un sofisticato sistema per mettere in collegamento il personale specializzato che lo gesti-

va e lo manteneva in perfetta efficienza: pozzi di accesso e per l'ispezione, rampe di scale e passaggi intramurari permettevano di muoversi discretamente al loro interno e di svolgere regolarmente il lavoro senza interferire e disturbare i clienti che frequentavano numerosi le Terme e i suoi servizi.

Lo studio sistematico di questi ambienti sotterranei, conosciuti fin dall'antichità e citati dalle fonti storiche, è iniziato con gli scavi del secolo scorso e si è protratto in modo altalenante negli anni successivi, con scoperte a volte eclatanti come il rinvenimento del grande Mitreo o del vicino mulino. L'indagine è resa complicata dalla collocazione ipogea, dalle difficoltà operative per muoversi in ambienti poco illuminati e a volte molto angusti e per la pericolosità strutturale di alcuni settori, ma è tuttora in corso e continua a stupire e ad affascinare gli studiosi per la maestria con cui l'intero complesso fu ideato e realizzato.

Marco Nardelli
per il Centro Ricerche Speleo
Archeologiche - Sotterranei di Roma

the galleries above, from the daily emptying of most of the swimming pools for cleaning, and from the manholes distributed in open areas. The network collected this water in a large centralised collection tank that extended across the bath building but at a greater depth and drained it away into the City's sewer system. This large conduit was the deepest (c. 14 m beneath the current level of the garden) and was built to reach the level of the water table at the elevation on which the entire complex rests, taking advantage of the natural slope of the terrain to channel the water.

Construction of this articulated system of water distribution and regulation must have required a long and detailed planning process by the ancient Roman engineers, who also needed to provide a sophisticated system for putting in place the specialised workmen who managed and maintained it in perfect working order. Manholes for access and inspection, and stairways and passages inside walls allowed them to move discreetly and to perform their work regularly without interfering with, or disturbing, the many users who visited the Baths and their facilities.

Systematic study of these undergroun rooms, known since antiquity and recorde in historical sources, began with the excava tions of the last century and continued spo radically in successive years, sometime making striking finds such as the discover of the large Mithraeum or the nearby mil Their study is made difficult by their under ground location, by operating difficulties i moving through poorly lit and sometime narrow rooms, and by the dangerous struc tural condition of some areas, but their stud continues and the mastery with which th entire complex was planned and achieve continues to amaze and fascinate scholars

Marco Nardelli,
for Centro Ricerche Speleo Archeologich
– Sotterranei di Roma

Collettore fognario
principale
delle Terme.
Galleria di adduzione
dell'acqua.

The main sewer
collection tank
of the Baths.
Tunnel for water
supply.

123

Bibliografia essenziale
Essential bibliography

Historia Augusta, *Caracalla*, IX, 1-7.

A. Blouet, *Restauration des Thermes d'Antonin Caracalla a Rome*, Paris 1828.

G. Secchi, *Il musaico antoniniano rappresentante la scuola degli atleti*, Roma 1843.

S.A. Iwanoff, *Architektonische Studien, III: aus den Thermen des Caracalla*, Berlin 1898.

E. Ghislanzoni, *Scavi nelle Terme Antoniniane*, in "Notizie Scavi" 1912, pp. 305-325.

G. Ripostelli, *Terme di Caracalla*, Roma 1916.

D. Krencker, E. Krüger, *Die Trierer Kaiserthermen*, 1929, pp. 269-279.

E. Brodner, *Untersuchungen an den Caracallathermen*, 1951.

G. Lugli, *Le Terme di Caracalla*, Firenze 1975.

I. Iacopi, *L'arco di Costantino e le Terme di Caracalla*, Roma 1977.

W. Heinz, *Römische Thermen. Badewesen und Badeluxus in Römische Reich*, 1983.

I. Nielsen, *Thermae et balnea. The Architecture and Cultural History of Roman Public Baths*, Aarhus 1990, pp. 3-57.

M. Piranomonte, A. Capodiferro, *Terme di Caracalla, Lo scavo della biblioteca sud-ovest*, in *La ciutàt en el mon Romà*, Atti del XIV Congresso ArchCl, 1994, pp. 333-335.

J. Delaine, *The Baths of Caracalla*, JRA suppl. 25, 1997.

M. Piranomonte, s.v. *Mithreum, Thermae Antoninianae*, LTUR III, pp. 267-268, Roma 1996.

M. Piranomonte, s.v. *Thermae Antoninianae*, LTUR V, pp. 42-48, Roma 1999.

M. Piranomonte, *Lo scavo del fronte delle tabernae*, in Atti del Convegno "Le Terme di Caracalla" (Istituto Storico Austriaco), Roma 2007, c.s.

G. Jenewein, *Die Architekturdecoration der Caracallathermen*, Wien 2008.

M. Piranomonte, *Guida delle Terme di Caracalla*, Milano 1997, rist. 2010.

Referenze fotografiche

Archivio fotografico della Soprintendenza Speciale per i Beni
Archeologici di Roma/Bruno Angeli, 13, 15
Archivio fotografico della Soprintendenza Speciale per i Beni
Archeologici di Roma/Fabio Caricchia e Enzo Giovinazzo,
6-7, 9, 11, 17, 29, 37, 38-39, 45, 51, 53, 55, 56, 57 alto e basso,
59 alto e basso, 61, 63, 87, 89, 91, 92 a sinistra,
93 in alto a destra e in basso, 97 in basso, 99 alto e basso,
100 a sinistra e a destra, 101, 102, 103, 109, 111, 115, 117,
119 in basso
Archivio fotografico della Soprintendenza Speciale per i Beni
Archeologici di Roma/Luciano Mandato, 27
Archivio fotografico della Soprintendenza Speciale per i Beni
Archeologici di Roma/Massimiliano Mozzano, 14, 33, 35,
41, 43, 47, 48, 49, 58, 67, 69, 71, 73, 75, 88, 90 a destra,
92 a destra, 93 in alto a sinistra, 94, 95, 96, 97 in alto, 107,
119 alto, 121, 122, 123
Archivio Disegni della Soprintendenza Speciale per i Beni
Archeologici di Roma/Inklink, 21, 23, 25
Archivio Disegni della Soprintendenza Speciale per i Beni
Archeologici di Roma/Rilievi s.r.l. Danilo Rosati, 49, 58

Soprintendenza Speciale per i Beni Archeologici di Napoli
e Pompei/Foto Luigi Spina, 31, 83, 85

Istituto Storico Austriaco a Roma/Gunhild Jenewein, 60, 62,
65, 66, 77, 79, 81
Adriano La Regina, 16
Foto Lelli e Masotti © Teatro dell'Opera di Roma, 26
Musei e Gallerie Pontificie, Città del Vaticano, 90 a sinistra
The Bridgman Art Library, Londra, 18, 113
The Picture Desk/Art Archive, 105

Le immagini alla p. 19 sono tratte dal volume *Archeologia
in posa dal Colosseo a Cecilia Metella nell'antica documentazione
fotografica*, Electa 1998.

L'Editore è a disposizione degli aventi diritto per eventuali
fonti iconografiche non identificate.

Progetto grafico e copertina
Tassinari/Vetta

Traduzioni
Joanne Berry

Questo volume
è stato stampato
per conto di
Mondadori Electa S.p.A.,
presso lo stabilimento
Mondadori Printing S.p.A.,
Verona, nell'anno 2012